o jogo do trabalho

O jogo do trabalho

Como transformar sua profissão no seu esporte favorito

CHARLES A. COONRADT
COM LEE NELSON

SEXTANTE

Publicado em acordo com a Game of Work, LLC, Park City, Utah, EUA.
www.gameofwork.com

tradução
Marilena Reginato de Moraes
preparo de originais
Valéria Inez Prest
revisão
Lara Alves
Luis Américo Costa
Tereza da Rocha
projeto gráfico e diagramação
Valéria Teixeira
capa
Miriam Lerner
pré-impressão
ô de casa
impressão e acabamento
Bartira Gráfica e Editora S/A

CIP-BRASIL. CATALOGAÇÃO-NA-FONTE
SINDICATO NACIONAL DOS EDITORES DE LIVROS, RJ

C787f Coonradt, Charles A.
O jogo do trabalho / Charles A. Coonradt; tradução de Marilena Reginato de Moraes. – Rio de Janeiro: Sextante, 2008.

Tradução de: The game of work
ISBN 978-85-7542-387-5

1. Motivação no trabalho. 2. Motivação (Psicologia). 3. Trabalho – Aspectos psicológicos. I. Título.

08-1178 CDD: 650.1
CDU: 65.011.4

GMT Editores Ltda.
Rua Voluntários da Pátria, 45 – Gr. 1.404 – Botafogo
22270-000 – Rio de Janeiro – RJ
Tel.: (21) 2286-9944 – Fax: (21) 2286-9244
E-mail: atendimento@esextante.com.br
www.sextante.com.br

Para o meu filho Christopher,
que nos ensinou sobre vencer,
embora seu jogo tenha sido muito breve.

SUMÁRIO

INTRODUÇÃO

Por Lee Nelson

Meu primeiro contato com o princípio central deste livro aconteceu em 1958 num dos supermercados da rede Safeway, meu primeiro emprego de adolescente. O gerente me levou a um depósito e apontou para três caixotes de madeira de cerca de 1,20m x 2,40m, cheios de garrafas de refrigerante vazias.

Ele explicou que as garrafas tinham que ser colocadas em engradados antes de serem recolhidas. Os caixotes estavam cheios porque os colaboradores mais velhos detestavam "trabalhar com garrafas" e, sempre que podiam, evitavam a tarefa. Por isso tinham me dado o serviço – com 16 anos, eu estava no grau mais baixo da hierarquia.

O gerente me mostrou os engradados, as garrafas que podiam ser colocadas juntas, as que deviam ficar separadas e onde guardar os caixotes depois de esvaziá-los.

Quando pensei que já sabia tudo a respeito do trabalho e podia começar, ele disse: "Normalmente é necessário um número maior de pessoas para fazer isso. Espero que você consiga."

Depois olhou para o relógio. Eu também.

"Avise quando terminar o primeiro caixote", pediu antes de virar as costas e sair.

De repente meu trabalho passou a ter um novo significado. Lidar com as garrafas deixou de ser uma simples tarefa que precisava ser feita. Havia sido determinado um padrão pelo qual meu desempenho seria medido com exatidão. O gerente estava estabelecendo índices para mim. E eu fiz o mesmo.

Minhas mãos começaram a suar. Olhei para os caixotes com um novo interesse. O gerente, como meu treinador de basquete, tinha me colocado no jogo e ligado o placar. Voei para as garrafas.

Após 1 hora e 10 minutos, terminei o primeiro caixote, frustrado pelo mau jeito, mas confiante de que, se persistisse, poderia alcançar a barreira mágica de 60 minutos – o padrão aceito no meu novo mundo de trabalho.

Passei a fazer aquele serviço regularmente, mantendo o índice em relação ao tempo que levava para lidar com cada caixote. Depois de um mês, conseguia esvaziar três deles em uma hora – três vezes o patamar estabelecido como aceitável pelos meus colegas. O gerente estava satisfeito e as pessoas comentavam. Eu sentia orgulho de mim mesmo – acreditava ser o mais rápido funcionário naquela tarefa em toda a rede Safeway. Talvez as outras pessoas soubessem mais sobre controle de caixa e cortes de carne e de alface, no entanto eu era o melhor com as garrafas e fazia o trabalho mais depressa do que qualquer um na loja.

O gerente do turno da noite, Bill Cunningham, ouviu falar do garoto de mãos rápidas e me chamou para trabalhar com ele, depois da escola. O turno ia das 11 da noite às 8 da manhã. Meu salário passou de 1,33 dólar por hora para 2,42 dólares.

Bill era naturalmente competitivo, dentro e fora do trabalho. Toda tarefa era uma corrida para determinar o melhor e o mais rápido. Meus olhos não conseguiam acompanhá-lo colocando preços nas embalagens. Ele jogava seis latas de sopa de uma vez numa prateleira, três em cada mão, com todos os rótulos para a frente. Nas noites de quinta-feira, quando lavávamos e encerávamos o chão, o esfregão de Bill fazia mais truques do que a vassoura de uma bruxa. Ele aprendera aquilo na Marinha.

Ele me desafiou a alcançá-lo, o que parecia impossível. Mas eu tentei e, a cada semana, chegava um pouco mais perto. Parecia que todas as tarefas eram cronometradas e medidas, inclusive rasgar as caixas de papelão que iam ser incineradas. Velocidade e precisão eram o jogo, e mantivemos os índices. Os outros funcionários da noite não gostavam de competir comigo e com Bill. Achavam que éramos "dedicados demais". Pareciam preferir olhar para o relógio a vencer o desafio do tempo.

Nada era melhor do que sair da loja com o sol nascendo, o corpo relaxando depois de uma noite acelerada, esforçando-me para me igualar a Bill ou ultrapassá-lo. Adorava quando ele dizia, brincando: "Hoje receberemos um grande carregamento. Venha com seus tênis de corrida." Eu me sentia na pele de um atleta que está se preparando para um grande jogo.

Depois de me formar na faculdade, eu me casei e comecei uma carreira no mundo dos negócios e também como escritor. Meu aprendizado na Safeway não parecia ter aplicação na faculdade nem nas empresas em que vim a trabalhar. Havia uma diferença entre bater recordes e vencer as pessoas. Ser rápido não é necessariamente uma qualidade desejável se você não estiver fazendo a coisa certa. Às vezes eu sentia que meus colegas estavam desorientados, até mesmo confusos. E não sabia como adotar em diferentes situações os princípios com que tinha lidado tão bem na Safeway.

Então conheci Chuck Coonradt, empresário que empregava os princípios que tanto me motivaram na Safeway em todo tipo de situação de negócios. E obtinha resultados fenomenais.

Chuck é fundador da The Game of Work, uma empresa que ensina aos executivos como tornar os negócios um jogo, registrando índices. Ele descobriu um meio de empregar nos negócios o que os gerentes da Safeway fizeram por mim. Sem dúvida, é o maior especialista em avaliação de resultados.

Entusiasta de esportes e jogador de futebol americano na faculdade, Chuck observou que as pessoas se dispõem até a pagar pelo privilégio de suar a camisa se for para fazer algo de que gostam, mas que nem sempre se esforçam tanto quando são pagas para dar duro. Pense a respeito – é o que chamamos de diversão.

Diz Chuck: "Na falta de metas claramente definidas, as pessoas são forçadas a se concentrar na atividade e acabam sendo escravizadas por ela. A maioria dos empresários paga por presença, no entanto deveria pagar por desempenho e produtividade. Muitos deles não registram índices nem medem o desempenho tão bem quanto o fazem quando estão se divertindo."

Quando Chuck começou a me contar suas experiências com diversas empresas, percebi que ele estava lidando com uma atividade grandiosa, vital para o sucesso de qualquer negócio. Ele tinha descoberto o elo perdido na retórica dos anos 1960 e 1970 sobre alcançar metas. Fiquei impressionado com seu método de rastrear dados. Isso realmente funciona, como você verá nos exemplos a seguir.

Um diretor da March of Dimes, instituição que recolhe doações por meio de programas de televisão, desenvolveu um sistema simples de rastreamento que se baseia no volume de dinheiro levantado, e não no número de pessoas contatadas – sistema que pode ser atualizado a cada hora por meio da tecnologia teletron, com um feedback contínuo. Com o novo sistema, as doações passaram de 78 mil para 110 mil dólares em um ano. Em três anos, a arrecadação anual chegou a mais de 200 mil dólares.

Uma distribuidora de bebidas começou a comparar o número de caixas entregues com os litros de gasolina consumidos pelos caminhões durante os percursos. Com esse registro, obteve uma queda imediata de 15% nos custos de distribuição.

Seis semanas depois de introduzir em um dos seus processos-chave de manufatura um método de medição proposto por Chuck, uma fábrica de cercas reduziu em 80% o total de material desperdiçado, o que representou uma economia anual de mais de 40 mil dólares.

Um vendedor de uma empresa de publicidade utilizou diversas técnicas de medição de Chuck e, quatro meses depois, recebeu a maior comissão em seus sete anos na empresa. Ele decidiu aplicar o programa O Jogo do Trabalho com o objetivo de aumentar as vendas em 13% e, 90 dias depois, elevou a meta para 47%. Por fim, conseguiu, no primeiro ano, um aumento de 55%.

Uma pequena rede de mercearias diminuiu em 27% os custos com estocagem das mercadorias, graças à adoção de uma técnica simples de medição.

Um distribuidor de tintas reduziu seu estoque de 290 mil para 165 mil dólares, ficando com um capital de giro de 125 mil dólares e maior capacidade para atender pedidos.

Em seis semanas, a média de dias úteis para expedir uma fatura em uma fábrica de guindastes passou de 13 para 3 dias. Com a eliminação de quase duas semanas nesse processo, houve uma significativa melhora nos prazos de recebimento.

Uma empresa pública de comunicação conseguiu um lucro de 3,4 milhões de dólares no primeiro ano depois que Chuck aplicou seus métodos de medição. No ano anterior, o lucro tinha sido de 1,7 milhão, sem jamais ter ultrapassado 2 milhões anuais.

Uma empresa de caminhões obteve uma economia de cerca de 125 mil dólares nos custos anuais de manutenção medindo um item simples: o número de quilômetros percorridos entre as panes nos veículos.

Após vários anos de trabalho, um jovem dentista com duas funcionárias (assistente e recepcionista) não conseguia alcançar um faturamento superior a 10 mil dólares mensais. Depois de quatro semanas de aplicação do programa de Chuck Coonradt, seu faturamento subiu para 14.900 dólares. Dois meses mais tarde, com os mesmos colaboradores, o mesmo número de pacientes e o mesmo espaço, ele chegou a 16 mil dólares por mês e já estava se encaminhando para a nova meta – 20 mil.

Sucesso

Seguindo os princípios deste livro, você pode obter tanto sucesso quanto essas pessoas. Paul J. Meyer, presidente da SMI International, diz que o sucesso é a realização progressiva de metas pessoais predeterminadas e significativas.

Para o escritor Napoleon Hill, o sucesso é a procura de um ideal pelo qual vale a pena lutar. Sucesso significa resultado. É para isso que estamos no mundo dos negócios. Nos esportes, o sucesso é medido por conquistas – medalhas de ouro nas Olimpíadas, Copa do Mundo de Futebol, primeiro lugar no Torneio de Wimbledon e no Campeonato Mundial de Fórmula 1, entre outras.

Se até agora você não se considerou um ser humano esportivo, está na hora de fazer isso. Você é como um atleta: tem talentos, habilidades e energia que troca por dinheiro e reconhecimento. Goste ou não, é um participante do Jogo do Trabalho.

Além de responder por seu próprio crescimento e desenvolvimento, talvez você seja responsável pela produtividade de outras pessoas. Nesse caso, os princípios apresentados aqui são ainda mais importantes. Você é um técnico, além de jogador. Pense em como os princípios motivacionais dos esportes podem ser aplicados ao seu negócio e terá uma pequena vantagem competitiva ao ler este livro.

No mundo dos negócios, as pessoas que ganham 60 mil reais por ano *não são* três vezes melhores do que as que recebem 20 mil. Elas têm apenas uma ligeira vantagem. Realizam algumas atividades com mais eficiência. Muitas vezes, essa pequena vantagem decorre simplesmente de saber mais sobre o próprio desempenho.

Seu relatório de observação

Vamos falar de você, dos seus talentos e das suas habilidades. Liste os talentos e as habilidades que você troca por dinheiro. Comece pelos itens mais importantes.

1. ______________________________
2. ______________________________
3. ______________________________
4. ______________________________
5. ______________________________
6. ______________________________
7. ______________________________
8. ______________________________
9. ______________________________
10. ______________________________

Agora relacione as iniciativas que tomou ao longo dos anos para melhorar seus talentos e suas habilidades. Inclua estudos, seminários, assinatura de publicações especializadas, etc. Ao lado, indique o custo aproximado.

1. Faculdade	Custo:
2. Pós-graduação	Custo:
3. Seminários e conferências	Custo:
4. Livros	Custo:
5. Publicações especializadas	Custo:
6. Outros ______________	Custo:
______________	Custo:
______________	Custo:

Seu treinamento pode ter incluído:

1. *Know-how ou habilidades* – o que você aprendeu a fazer.
2. *Energia* – sua disposição para arregaçar as mangas e dar duro todos os dias.
3. *Tempo* – não o que você tem, mas como o organiza para que ele trabalhe para você.
4. *Imaginação* – a centelha criativa que produz idéias inéditas.
5. *Planejamento e estabelecimento de metas* – como você determina metas e desenvolve planos para atingi-las.
6. *Habilidades de comunicação* – como apresenta suas idéias e sugestões para que os outros se disponham a aceitá-las.
7. *Capacidade de tomar decisões* – como você assimila fatos para fazer boas escolhas.

Que tal se você pudesse ser o máximo em uma dessas habilidades? Qual delas, se desenvolvida à perfeição, lhe seria mais útil? Naturalmente, você gostaria de se aperfeiçoar em todas essas áreas, mas deve haver uma na qual precisa de mais ajuda neste momento. Qual é ela?

Escreva aqui: ________________________________.

Albert Einstein disse que desenvolveu cerca de 10% do seu potencial. Quanto você poderia desenvolver do seu potencial na área que escolheu? A que seminários ou aulas assistiria para aprimorar esse talento? Quanto isso custaria em tempo e dinheiro?

Você sabe quanto investiu neste livro, que é apenas uma fração do valor de um curso universitário ou de um bom seminário, embora os princípios aqui apresentados tenham proporcionado melhorias significativas a milhares de pessoas. Eles podem ajudar você também em qualquer área que deseje.

Metas

Existe algo importante que você deve saber: tanto o crescimento quanto o fracasso das empresas dependem das metas de cada pessoa. Quais são as suas? Segundo David C. McClelland, em *The Achieving Society* (A sociedade bem-sucedida), somente 3% dos americanos são independentes financeiramente, isto é, podem viver do capital que têm investido. Outros 10% vivem de modo confortável, como a maioria de nós almeja. E 60% mal conseguem se manter até o próximo salário. Os últimos 27% precisam de ajuda de outras pessoas ou do governo até para sobreviver. Qual a diferença entre esses grupos? Os 3% que estão no alto têm metas escritas específicas. Eles mantêm registros de índices. Os que estão no grupo dos 10% possuem metas genéricas – não são *específicas* nem *escritas*. Os demais não têm metas. Isso também foi verificado em estudos posteriores.

É óbvio que alcançar metas envolve muito mais do que escrevê-las. Caso contrário, o grupo financeiramente independente seria composto por um número bem maior de pessoas. Este livro vai ensinar você a determinar os princípios que o ajudarão a alcançar suas metas.

A medição de índices e o estabelecimento de metas não são recursos novos. Mas sua aplicação por meio do Jogo do Trabalho é.

Conclusão

Antes de ler o primeiro capítulo, diga a si mesmo: "Sou um jogador."

Ponha na cabeça que você é um competidor no jogo do qual decidiu participar e que, por meio das suas escolhas na implementação dos princípios deste livro, se tornará bem-sucedido.

CAPÍTULO 1

O Jogo do Trabalho

"As pessoas se dispõem até a pagar pelo privilégio de suar a camisa se for para fazer algo de que gostam, mas nem sempre se esforçam tanto quando são pagas para dar duro."

– Chuck Coonradt

Nos Estados Unidos, nas empresas de comida congelada, as pessoas trabalham em depósitos refrigerados sob terríveis condições, em temperaturas próximas a 0°C. Em vista disso, os sindicatos e a Agência de Saúde e Segurança no Trabalho estabeleceram medidas para melhorar essa situação. As companhias têm que fornecer roupas térmicas e botas aos funcionários. Na verdade, há toda uma indústria produzindo vestimentas adequadas para as organizações dessa área. Os trabalhadores recebem bebida quente e têm 10 minutos de intervalo a cada hora. É difícil conseguir pessoas para trabalhar em condições árduas como essas. Ninguém parece gostar do frio.

No entanto, quando há uma tempestade de neve seguida de um dia de céu claro e baixas temperaturas, ocorre um aumento significativo no número de faltas ao trabalho, especialmente entre os colaboradores jovens. Em vez de ficarem em casa para se proteger do frio, eles vão curtir a neve nas estações de esqui.

Felizes da vida com seus caros equipamentos, eles não se importam de ser descontados pela falta ao trabalho e compram um bilhete de 30 dólares para passar o dia em temperaturas baixíssimas. Nas encostas não há máquinas de bebidas quentes, e nunca vi um esquiador pedir 10 minutos de intervalo a cada hora. Realmente, as pessoas se dispõem a pagar pelo privilégio de suar a camisa se for para fazer algo de que gostam, mas nem sempre se esforçam tanto quando são pagas para dar duro.

Por que as pessoas dedicam até 10 vezes mais energia e esforço à diversão do que à sua vocação? Por que não se importam de gastar para suar a camisa quando querem e não dão tudo de si quando são pagas para isso? Há muitos motivos.

Em primeiro lugar, *na diversão as metas são claramente definidas:* escalar uma montanha mais alta, vencer um jogo, melhorar o tempo anterior. O resultado desejado é claro e fácil de medir.

Eu sempre quis jogar golfe no campo de Peeble Beach, em Carmel, na Califórnia, onde é realizado o torneio anual Bing Crosby, para profissionais e amadores. Digamos que eu tenha finalmente conseguido chegar lá. Vou à recepção e falo com a atendente:

– Estou aqui para participar. Onde consigo um mapa do campo?

– Não temos mais mapas do campo – ela responde.

– Como vou saber onde jogar? Onde é o primeiro *tee?* – pergunto.

– Bem, fizemos mudanças. Por causa do valor do terreno, transformamos metade do campo em condomínios. Assim, alteramos algumas regras. Não existe mais o primeiro *tee.*

– E existe um segundo *tee?*

– Também não. Na verdade, não há mais *tees.*

– Nossa! E os campos?

– Não existem mais.

– Os limites do campo se foram também?

– Sim, mas é proibido jogar a bola no quintal de alguém.

– Como posso jogar?

– Analisamos por que as pessoas jogam golfe e vimos que o principal motivo é o exercício. Aqui está um pedômetro. Saia e caminhe 6km por onde quiser. Você não precisa de um *caddy* porque basta levar um taco. Pare e dê quantas tacadas quiser, um mínimo de 70 ou até sentir que fez a mesma quantidade de exercício que faria num jogo de 18 buracos.

– Você só pode estar brincando!

– A atividade é a mesma. Você se exercita, faz *swings* com o taco (se quiser, pode até jogar um longe) e não tem sequer que procurar uma bola perdida.

Você pode imaginar isso? Consegue visualizar alguém dizendo no campo de futebol: "O principal objetivo desse jogo é correr e fazer exercícios. Não queremos realizar toda a contagem de pontos, por isso vamos retirar as traves. Vocês podem correr chutando a bola por 45 minutos e, em seguida, faremos um intervalo. Depois voltarão a correr por mais 45 minutos. Por fim, irão para casa e dirão a todos que se exercitaram bastante."

Se não medissem índices na maratona de Nova York, seria impossível fazer com que 20 mil pessoas esperassem duas horas na ponte do Brooklyn, antes do amanhecer, pela oportunidade de correr 42km.

Em segundo lugar, *na diversão, a contagem de pontos é melhor* porque é (1) mais objetiva, (2) auto-administrada, (3) controlada pelos participantes, (4) dinâmica e (5) permite ao jogador comparar seu desempenho atual com o anterior e com um padrão aceito.

Na diversão, todos sabem como marcar pontos. Nos negócios, às vezes as tacadas não são contabilizadas. É comum os profissionais não compreenderem o sistema de contagem. Às vezes ninguém se importa. Em muitas ocasiões não há objetividade no registro dos índices.

Jogo golfe com um *handicap* de 18 tacadas. Se dou 85 tacadas em 18 buracos, fico feliz. Mas, às vezes, jogo com amigos que têm *handicaps* de 8 ou 10. Com 85 tacadas, eles estão perdendo e ficam decepcionados.

No golfe, o jogador consegue realmente saber se melhorou em relação ao seu desempenho anterior. Se ele comparasse seus resultados com os do lendário campeão Jack Nicklaus, logo desistiria, porque jamais conseguiria superá-lo. Mas a comparação com seu último resultado pode lhe dar ânimo para continuar a jogar e conquistar uma pontuação mais alta. O número de vitórias que ele obtém é suficiente para manter seu interesse no jogo.

Você já encontrou um corredor que não saiba a que velocidade faz o seu percurso? Todo corredor aplicado sabe quanto corre. Se uma pessoa completa sistematicamente um percurso em 8 minutos, ela se sentirá bem se o concluir em 7 minutos e 40 segundos. Caso diminua sua marca para 7 minutos, falará nisso durante todo o dia. E não ficará triste porque não conseguiu percorrer 1,5km em 4 minutos nem lamentará não estar sendo capaz de correr maratonas em duas horas. Ela se sentirá ótima porque vai comparar o número atual com seu resultado anterior – e estará ganhando. Se terminou a última maratona em 4 horas e 10 minutos, pulará de alegria quando a completar em 4 horas. Essa pessoa se sentirá uma vencedora porque não está comparando seus índices com padrões irreais.

Pense num torneio de tênis para amadores que, todo verão, atrai 2.700 participantes com apenas quatro pessoas registrando os resultados. Num torneio profissional de golfe com 140 participantes, há três pessoas anotando os resultados. Elas ficam numa barraca e não vêem uma só tacada. Por quê? Porque o placar é contabilizado pelo próprio jogador e conferido pelo adversário.

Na hora da diversão, registrar os pontos nos faz receber uma resposta imediata e realista. Sabemos como estamos nos saindo.

Imagine-se num campo de golfe, jogando por 40 reais o buraco. Faltam dois buracos e você está perdendo. Num esforço para se recuperar, propõe ao adversário dobrar a aposta nessa reta final.

Você vai até o *tee* e dá uma forte tacada, jogando a bola do outro lado da cerca. Não será necessário esperar seis meses até a próxima entrevista com seu técnico para ser informado de que estragou tudo. Você tem marcado seus pontos e sabe exatamente como está jogando.

Seu mal-estar não se deve ao fato de você não ter jogado tão bem quanto Jack Nicklaus, mas à constatação de não ter tido um desempenho à altura das suas expectativas, correspondentes ao seu *handicap*.

Registrar a pontuação é uma forma eficaz de motivação quando é objetiva, feita pela própria pessoa e verificada pelos outros participantes.

Em terceiro lugar, *na diversão o feedback é mais freqüente*. Todos precisam saber diariamente se estão ganhando ou perdendo. O que você acha que aconteceria se um patrocinador de futebol entrasse em campo no início da primeira partida da Copa do Mundo e dissesse aos jogadores: "Hoje daremos início ao processo de escolha do melhor time do mundo. Mas vamos agir como homens de negócios. Ninguém fará gols. Nós, patrocinadores, vamos observar e decidir que time jogou melhor. Isso será feito em todas as partidas do campeonato. Em um mês vocês saberão o resultado." Acho que esse homem teria que correr para salvar a pele.

Felizmente, ao praticar a maioria das atividades recreativas, você não depende de um supervisor para lhe dizer como está se saindo. O placar se revela à medida que o jogo avança e ninguém pode mudá-lo só porque não gosta de você. O feedback é rigoroso e constante – você está ciente do placar sempre que joga a bola. E todos sabem como conferir o placar.

Os campeões não dispensam o feedback. As pessoas que almejam ir em frente, vencer, melhorar e cumprir a tarefa querem ter esse recurso à mão. Se você não o considera importante, conte quantos espelhos tem em casa.

Quando quiser melhorar seu desempenho em qualquer área, basta aumentar ou diminuir a freqüência do feedback. Se você tem um problema e faz um relatório trimestral sobre ele, passe a elaborá-lo mensalmente. Caso isso não resolva, escreva um relatório semanal ou diário. Intensificando a freqüência do feedback, você disporá de mais oportunidades para perceber e eliminar problemas.

Em quarto lugar, *na diversão, os participantes sentem que têm mais escolhas.* Pense nas palavras que significam falta de opção – termos normalmente usados no mundo dos negócios. Expressões como "tenho que", "é necessário", "eu devo". Quantas vezes você ouviu alguém dizer "Tenho que jogar tênis"?

Os gerentes devem se perguntar se estão usando o princípio da escolha quando distribuem tarefas. Estão designando às pessoas encargos em áreas em que elas têm interesses naturais e habilidades ou adotando um método parecido com o do Exército, em que padeiros recebem ordem para dirigir caminhões? Quando as pessoas sentem que não têm escolha, elas perdem o entusiasmo e isso se reflete no desempenho.

Em quinto lugar, *na diversão as regras não são mudadas no meio do jogo*. Imagine que você está jogando sinuca numa cidade estranha. Acabou de encaçapar a bola sete e alguém anuncia que não valeu porque você não disse "Abre-te, sésamo!" antes de a bola entrar. Naturalmente isso o aborreceria porque as regras teriam sido mudadas na sua vez. Esse é o tipo de coisa que não acontece nos esportes. No basquete, a cesta comum vale dois pontos e a que é feita antes da linha de 6,2m vale três, sempre.

Ninguém altera as regras no meio do jogo. Mas no mundo dos negócios esse é um acontecimento corriqueiro.

Certa vez, conversei com um gerente de vendas de uma fábrica de lâmpadas sobre registrar índices e manter um alto nível de motivação entre os vendedores. Ele me disse:

– Temos um bom sistema de registro de índices. Os vendedores recebem regularmente relatórios sobre sua pontuação. Mesmo assim, isso não parece motivá-los.

– É estranho. O sistema parecia bom – observei.

– Acho que eles ficam aborrecidos por causa do ajuste da cota nacional anual.

– Do que se trata? – perguntei.

– Se a empresa faz 125% da cota, depreciamos o valor dos pontos de todos os colaboradores em 100% – ele explicou.

– Para mim, é natural que eles fiquem aborrecidos, afinal não podem contabilizar todos os seus pontos. Vocês estão mudando as regras no meio do jogo.

Imagine um mercado em que o encarregado do setor de carnes seja repreendido pelo gerente porque o departamento não está dando lucro. O gerente esbraveja: "Vamos resolver isso. Iremos economizar cada tostão neste departamento e começar a ter algum lucro." O encarregado balança a cabeça indicando que concorda.

Uma hora depois, dona Maria chega à loja com um pernil estragado. Vai falar com o encarregado do setor de carnes, que acabou de receber instruções sobre economia e reluta em trocar o pernil. Ela se dirige então ao gerente, que lhe diz: "Sem problema, dona Maria. Vou levá-la de volta à presença do encarregado do setor de carnes e explicar a esse idiota que o importante neste mercado é a satisfação do cliente." O gerente mudou as regras no meio do jogo.

Se, durante uma partida de basquete, o juiz dissesse que a cesta foi feita por pura sorte e, por isso, valeria apenas um ponto, o que você acha que aconteceria?

Mudar as regras no meio do jogo provoca incerteza. Bons

gerentes tentam minimizar isso. Os profissionais, assim como os atletas, apresentam um desempenho melhor quando sabem qual é sua posição, quando conhecem o placar. O sentimento de segurança cria uma sensação de confiança em relação às condições de trabalho. Embora os gerentes não tenham como eliminar toda a incerteza, eles podem reduzi-la não alterando as regras no meio da partida.

No ambiente de trabalho, quando as expectativas são claramente definidas e a incerteza é minimizada, as pessoas têm mais facilidade em cumprir suas metas com satisfação.

O que você imagina que acontece quando esses cinco princípios são aplicados no mundo do trabalho, isto é, quando a motivação da diversão é empregada na atividade profissional? Você acha que na sua empresa o nível de entusiasmo pela realização de metas pode ser tão alto quanto aquele que os colaboradores demonstram durante a disputa do torneio de futebol da companhia?

Em geral, à medida que os funcionários vão se tornando menos produtivos, mais cresce seu interesse pela diversão. Se o ar-condicionado da sala quebra num dia de muito calor, as pessoas começam a afrouxar os colarinhos, a prender o cabelo e a reclamar dizendo que é melhor ir para casa mais cedo. Todos nós concordamos que é difícil trabalhar no calor. No entanto, no minuto em que saímos do escritório, alguém sugere "Que tal uma partida de vôlei na praia?", mesmo a 40°C.

Os princípios que suscitam a motivação nas atividades recreativas podem ser aplicados nos negócios com grandes resultados. Vou revelar quais são eles e como empregá-los.

Atletas profissionais são pagos para jogar. Mas o entusiasmo e o poder do seu envolvimento vêm dos elementos do jogo, e não do valor no contracheque. Cada um de nós também recebe para jogar. Contudo, podemos ter mais motivação, alegria e satisfação usando os princípios do Jogo do Trabalho. Neste livro você encontrará sua própria maneira de vencer. Eu garanto.

CAPÍTULO 2

Metas

"Na ausência de metas claramente definidas, somos obrigados a nos concentrar na atividade e acabamos nos tornando escravos dela."

– Chuck Coonradt

Vejamos o que acontece com o estabelecimento de metas nos esportes. Suponha que decidimos retirar as traves do campo de futebol e acabar com a regra de marcação de gols. Teríamos que considerar vencedor o time que ficasse mais tempo com a bola.

Caso acabássemos com a marcação de pontos no basquete, haveria 10 homens correndo na quadra, apenas driblando com a bola – como fazemos às vezes nos negócios, mas sem a bola.

Tudo o que empreendemos com o objetivo de nos divertir é dirigido a uma meta. Praticamente todas as agremiações e entidades esportivas realizam um cuidadoso registro de recordes e estatísticas referentes a seus times e atletas.

Se removermos as metas de qualquer esporte, eliminaremos os aspectos mais importantes dos objetivos da diversão – a luta pelas metas e as metas em si. Há em nós um desejo de fazer as coisas de modo melhor, mais rápido, mais alto, mais baixo, mais longo, mais... e de vencer.

Quando John Nabors estabeleceu um programa de três anos

de treinamento depois de ver Mark Spitz ganhar sete medalhas de ouro nos Jogos Olímpicos de Munique em 1972, ele não queria apenas se tornar um bom nadador. Seu desejo não era se jogar na água e nadar duas vezes por dia durante 165 semanas só para se divertir. E também não fez isso apenas porque era um bom exercício. Tinha a meta específica de se tornar o melhor do mundo.

As metas são a força motivacional nos esportes. E, nessas atividades, elas são mais claramente definidas do que nos negócios. São a razão principal de as pessoas pagarem para suar a camisa, o que nem sempre fazem quando recebem para isso.

Quando entramos numa quadra de tênis ou vôlei, estamos cientes de que o objetivo é ganhar. No campo de futebol, sabemos como nos posicionar e o que fazer para marcar gols. Temos que reconhecer o mesmo desafio, a mesma oportunidade e a mesma motivação quando chegamos ao escritório de manhã – em vez de esperarmos pelos telefonemas ou pela correspondência para fazer com que as coisas aconteçam.

Nas atividades recreativas, as metas são claramente definidas. Como resultado, a motivação em situações desse tipo é mais alta. Podemos levar a motivação da diversão para o local de trabalho? Claro que sim.

Veja a seguir 10 critérios para o estabelecimento de metas. Quando os aplicamos ao trabalho, produzimos um tipo de motivação semelhante ao da diversão.

1. As metas devem ser escritas.

É comum as pessoas não escreverem suas metas, dizendo que as têm na cabeça e que preferem se concentrar nas questões que consideram de fato importantes. Mas, se a mulher liga para o marido pedindo-lhe que compre cinco produtos no supermercado, ele diz logo: “Só um instante. Vou anotar para não me esquecer.”

Metas não escritas são apenas desejos. Escrever uma meta a torna real, permanente, a retira do reino dos desejos transitórios.

Metas não escritas são facilmente esquecidas ou mudadas, enquanto as escritas são lidas e revistas com regularidade e se tornam realidade. Sem metas escritas, perdemos o poder de condicionamento por meio da repetição periódica.

Fico espantado com pessoas que pagam taxas de inscrição caríssimas para participar de congressos sobre estabelecimento de metas, mas que se recusam a escrever seus objetivos. Talvez elas acreditem que os times campeões imaginam as jogadas somente durante as partidas. Ridículo. A principal diferença entre o esporte amador e o profissional é a quantidade de registros escritos dos seus planos. O objetivo de uma equipe não é apenas ganhar a competição ou ser a melhor. É também atingir marcas. Boas metas são detalhadas e específicas: número de jogadas ofensivas e defensivas, de saques aproveitados, etc.

É impossível gerenciar algo violando os princípios das metas escritas. Ninguém construiria uma casa de 400 mil reais sem as plantas do arquiteto. No entanto, a maioria das pessoas que ganham 40 mil reais por ano gastará esse total ao longo de 10 anos sem seguir metas específicas nem planos. No fim dos 10 anos, elas vão se perguntar por que ficaram apenas apreciando a casa. As metas têm que ser escritas.

2. As metas devem ser próprias.

A Copa do Mundo de Futebol é também uma conquista individual dos jogadores. Os maiores sucessos nos esportes são resultado do comprometimento pessoal com a vitória.

O esquiador austríaco Franz Klammer, o campeão que voou para a vitória na prova de descida nos Jogos Olímpicos de Inverno de 1976, em Innsbruck, na Áustria, encontrava-se a 12 centésimos de segundo de distância do primeiro colocado, o que é muito nesse esporte. A pista estava marcada pela passagem de outros esquiadores e o nevoeiro impedia que os atletas vissem mais de duas bandeiras de cada vez. Mas o esforço de Klammer nos últimos 1.000m lhe permitiu alcançar o líder, ultrapassando-o em 20 centésimos. Ele declarou: "Quando saí, decidi que era vencer ou morrer." Ele venceu.

Em 1977, no sétimo jogo das finais do campeonato de beisebol, os Yankees enfrentavam os Dodgers no Yankee Stadium. Até aquele momento, Reggie Jackson ainda não tinha realizado uma grande partida e estava sendo muito criticado pela imprensa de Nova York. Naquela disputa, porém, ele fez três *home runs*, levando os Yankees à vitória. Por que Reggie jogou tão bem? Pela equipe? É possível. Por George Steinbrenner, o dono do time? Não, claro. Ele jogou bem por Reggie Jackson.

Para que empresa eu trabalho? Para a minha. Para que supervisor presto serviço? Para o meu. Com que salário estou preocupado? Com o meu. Eu, minha, meu. Quais são as metas mais importantes para mim? As minhas.

Sem dúvida você já viu pessoas que dão apenas o mínimo a cada dia no trabalho, mas, depois do expediente, vão ser treinadores de um time de futebol infantil, jogar boliche, pintar quadros – fazer alguma coisa só delas. É fácil perceber a transformação, a nova energia, a inteligência, a criatividade, a resistência e a capacidade de envolvimento. É impressionante.

O estabelecimento de metas e o empenho em realizá-las só se tornam verdadeiros quando os objetivos da equipe ou da empresa têm o mesmo valor das metas pessoais – são as situações em que a pessoa diz "minha equipe" ou "minha organização". É como falam os funcionários das grandes companhias, aqueles que admiramos. Eles têm instintos empreendedores que os ajudam a assegurar o sucesso da empresa porque suas metas pessoais estão entrelaçadas com as dela.

3. As metas devem ser positivas.

Vince Lombardi, que foi um dos principais técnicos de futebol americano, disse que o objetivo do jogo é ganhar, de forma justa e honesta, de acordo com as regras. Mas o importante é ganhar. A meta nos esportes não é evitar a derrota. Quantas vezes você já viu jogadores de futebol prendendo a bola apenas para segurar um placar favorável em vez de irem em busca do gol? Eles acabam derrotados por um contra-ataque porque deixaram de aproveitar o momento oportuno de armar uma jogada bem-sucedida.

A média de rebatidas no beisebol é um excelente exemplo de uma meta positiva. Tony Gwynn e Wade Boggs são os rebatedores do beisebol americano que tiveram a maior média da temporada e os jogadores que ganharam mais títulos na posição na história recente do jogo. Ninguém conseguiu ultrapassar a mística marca de Ted Williams – 400 rebatidas numa temporada –, que consideramos uma meta positiva. Quando olhamos para esse número mágico, não o vemos como 60% de rebatidas erradas. No beisebol, o importante são os *hits* (as rebatidas válidas) e os *home runs*, e não os *strike-outs* (eliminação do rebatedor após três tentativas frustradas de rebatida).

As duas metas mais comuns relacionadas à saúde hoje em dia são deixar de fumar e perder peso – *ambas negativas*. Eu fumava, um hábito reforçado pela repetição. Um maço por dia, 365 dias por ano – 7.300 vezes por ano em meio à fumaça.

Mais do que ter o objetivo negativo de deixar de fumar, quem quer parar deve estabelecer a meta de tornar-se um não-fumante. Quem não fuma tem muitos benefícios. Respira melhor, vive melhor. Suas roupas duram mais. Essas pessoas não estragam móveis nem lençóis com a brasa do cigarro e seu cheiro não incomoda os outros. São não-fumantes, uma forma *positiva* de ser.

O problema é que, em sua maioria, as pessoas que deixam de fumar ainda se vêem como fumantes em férias ou em abstinência. Voltar é uma questão de tempo.

Conheci um rapaz que fumava de um maço e meio a dois

maços de cigarros por dia. Eu disse a ele: "Veja, são 30 a 40 cigarros diariamente!" Ele teve dificuldade em acreditar. Ainda não havia parado para fazer as contas. No momento em que ele percebeu quanto estava viciado, começou a fumar um número predeterminado de cigarros por dia e a anotar seu progresso.

No primeiro dia, sugeri que fumasse 35, sua média no passado, o que não representaria nenhum desafio. Ele me ligou às 10 horas da noite, perguntando se tinha mesmo que fumar os 35, pois estava satisfeito com 32. Para garantir que fosse bem-sucedido na conquista da sua meta preestabelecida, recomendei que fumasse mais três. E ele fez isso.

No dia seguinte, a meta eram 34 cigarros. Você pode achar que a idéia era cortar um cigarro por dia, mas eu queria que ele se conscientizasse de que podia determinar quanto ia fumar em 24 horas. Com essa atitude positiva e o condicionamento, sua meta passou a 32, 31 e 30 cigarros.

Depois de duas semanas, o rapaz queria abandonar o vício, porém eu não incentivei essa decisão. Sabia que era necessário um reforço. Afinal, ele havia fumado quase 13 mil vezes por ano e por muitos anos. De manhã, decidia quantos cigarros ia fumar e a que horas, sempre mantendo o cigarro que fumava após o jantar. Aprendeu a se ater ao número de cigarros que estabelecia a cada manhã. Quando a meta passou a ser nenhum cigarro, pôde dizer: "Sou um não-fumante."

O mesmo princípio se aplica ao emagrecimento. Imagine perder 10kg. O que fazer? Cortar um braço? Não é tão fácil como pode parecer. Em vez de pensar numa meta negativa em quilos a perder, a meta deve ser alcançar o peso ideal e mantê-lo.

O problema é que as pessoas que emagrecem saem para comemorar e acabam se empanturrando de massas, sorvetes, tortas, chope, etc. É necessário visualizar a meta, no entanto isso só é possível quando ela é positiva.

No vôlei e no basquete, contam-se os pontos marcados, e não

os que deixaram de ser feitos. Mas, na vida, muitas vezes realizamos 80% da tarefa e, ao nos pedirem o relatório, dizemos ter falhado.

Devemos dar ênfase ao positivo. A mente rejeita metas negativas, pois é difícil visualizá-las.

4. As metas têm que ser mensuráveis e específicas.

Nos esportes, exigem-se números – dois, três e até quatro casas à direita da vírgula. Tacadas individuais no golfe não bastam mais como medida. O que importa são centenas de tacadas. Os tempos de nadadores, patinadores e esquiadores são medidos em milésimos de segundo. E, para que um atleta se destaque dos demais, esses resultados exatos são imprescindíveis.

Quanto e *em quanto tempo?* Se você não é capaz de mensurar isso, como saberá se atingiu seu objetivo? Mesmo metas intangíveis precisam de indicadores tangíveis. Se o seu propósito é ser mais paciente, conte quantas vezes levantou a voz no mês. Caso constate que o número está caindo, é porque sua paciência está aumentando. Não diga "Vou melhorar no ano que vem", e sim "Vou chegar a x (número) no ano que vem".

Paul J. Meyer destaca: "Metas definidas produzem resultados definidos. Por outro lado, metas indefinidas não produzem resultados indefinidos. Elas simplesmente não produzem resultado nenhum."

Se você colocar 100 pessoas numa sala e perguntar quantas delas querem ser financeiramente independentes, todas levantarão o braço. Caso pergunte depois quantas delas têm seus balanços financeiros detalhados quanto ao patrimônio, a dívidas e ao dinheiro disponível nos últimos 90 dias – sem contar a papelada que precisaram preencher para o empréstimo no banco –, só 10 erguerão o braço.

Pergunte a esses 10 indivíduos quantos deles têm seus balanços financeiros num formato de "metas a atingir" em períodos de um, três, cinco, dez e vinte anos e verá que só um deles se manifestará. E será um milionário. Não faz diferença qual é o passado da pessoa, quanto dinheiro ela possui nem sua renda atual. Ela tem um plano e, por isso, não pode ser ignorada. As metas devem responder às perguntas *quanto* e *em quanto tempo.*

Caso sua empresa siga a filosofia de que o cliente deve ser tratado como rei e você queira verificar se isso ocorre na prática, meça a porcentagem de pedidos feitos por clientes habituais, o tamanho dos pedidos, as queixas por milhares de transações e a maneira como elas foram respondidas. As metas gerais da companhia só serão legítimas se refletirem quanto, em quanto tempo e por quem.

5. As metas são mais bem definidas em unidades à prova de inflação.

Falamos da incrível marca de 400 rebatidas realizadas por Ted Williams no beisebol – uma meta à prova de inflação, que não mudou em 40 anos. Valores de salários e comissões estão sujeitos a subir e descer. Ingressos podem ficar mais caros, no entanto há elementos que não se alteram – minutos, horas, quilos, gols e cestas, entre outros. A definição das metas é melhor quando empregamos unidades de medida que não se modificam.

Uma indústria americana decidiu fabricar um tipo de papel refinado, de qualidade superior ao que vinha produzindo havia anos. A companhia estava acostumada a medir a produção em toneladas, e não em dólares. No final dos anos 1960, foi implantada a divisão de papel refinado. Para administrar esse setor designaram uma mulher que anteriormente trabalhava na sede da fábrica. Quando se tratava de medir a produção, ela se guiava por toneladas. Contudo, disseram-lhe que, no caso do novo papel, a avaliação era feita em dólares. Mas ela insistiu em contar em quilos, mesmo no departamento de vendas.

Naquela época, houve uma carência de papel em todo o

mundo, o que acarretou um drástico aumento dos preços. Todas as outras fábricas calculavam o volume das vendas anuais em dólares e se alegravam quando elas apresentavam um aumento de 13 a 14%, enquanto os preços subiam de 20 a 30% no período. Os funcionários da nova divisão de papel refinado, porém, estavam se esforçando para alcançar metas em quilos. Enquanto a inflação dava às companhias do setor uma falsa sensação de crescimento, a indústria em questão ganhava uma grande fatia do mercado. Ela havia estabelecido suas metas em números não sujeitos à inflação.

Hoje, a maioria das lojas de varejo nos Estados Unidos não consegue manter as vendas por cliente equiparadas com os aumentos da inflação. As vendas em quantidade ou peso diminuíram e as vendas em dólares aumentaram. Graças à inflação e à falta de visão da gerência, a maior parte dessas empresas ficou para trás no placar, mas nem sequer está ciente disso. A inflação é um fato. Pode ser boa ou ruim, porém é uma força real nos negócios. Apenas quando conseguimos tirá-la do programa de metas, como fez aquela indústria de papel, podemos colher seus benefícios em vez de sermos suas vítimas.

6. *As metas devem ser estabelecidas nos termos mais visíveis possíveis.*

Usar elementos concretos para medir as metas permite que todos saibam em quanto está a contagem. Quando os pontos dos times aparecem na tabela do Campeonato Brasileiro de Futebol, todos ficam sabendo qual deles está na frente e quais deles correm o risco de ser rebaixados.

A medição das metas tem que ser feita com um elemento concreto. Porcentagens são vagas demais. O representante de vendas pode dizer ao gerente:

– Minha meta é aumentar o volume em 25%.

– Ótimo – responde o gerente. – Pelos meus registros, no

último mês de janeiro você vendeu 10 mil unidades. De acordo com sua meta, vai chegar a 12.500. Fantástico!

– Espere um pouco – diz o representante. – Não há como emplacar 12.500 vendas em janeiro, mas o aumento de 25% é certo.

Em dezembro, o representante talvez tenha a sensação de que poderá aumentar as vendas do mês seguinte, porém isso não vai acontecer se ele tiver medo de, em janeiro, encarar a meta em números concretos. Até mesmo reais são melhores do que porcentagens. As metas devem ser estabelecidas em quilos, unidades, pedidos, caixas – coisas que podem ser vistas e tocadas.

As empresas dispõem de pelo menos quatro maneiras de medir o trabalho:

1. Custos do trabalho em relação a vendas em reais (como prefere a maioria dos contadores).
2. Vendas em reais por pessoa/hora.
3. Pedidos ou clientes atendidos por pessoa/hora.
4. Quilos produzidos por pessoa/hora.

Como o custo do trabalho e as vendas em dinheiro são indicadores sujeitos à inflação, pode ser difícil imaginá-los. Se os custos de salário e os preços de venda não mudarem de forma paralela, o processo acabará comparando maçãs com laranjas. É melhor comparar vendas em reais com pessoa/hora; assim, apenas a primeira variável pode sofrer alterações decorrentes da inflação. É fácil medir horas, porque elas não se modificam: nunca haverá mais de 60 minutos em uma hora. Outras unidades variáveis que não sofrem efeitos inflacionários são faturas, clientes e quilos.

Uma vez perguntei a um grupo de gerentes quantas horas por semana a empresa precisaria cortar para economizar 1% dos custos de trabalho, caso estes fossem de 10 mil dólares por semana e a companhia pagasse aos colaboradores 5 dólares por hora.

As respostas foram incríveis. Um gerente me pediu uma calculadora. Outro disse que eu não tinha dado informações suficientes para resolver a questão. O terceiro perguntou que tipo de negócio era. Nenhum deles conseguiu dar a resposta, que me parecia muito simples. Vejamos: 1% de 10 mil são 100. A 5 dólares por hora, para economizar 100 dólares em uma semana, a empresa teria que cortar 20 horas.

Mas gerentes não têm que decifrar nada – nem mesmo problemas elementares como esse. No calor da competição, as comunicações devem ser simples e diretas.

Nessa mesma indústria, um dos nossos clientes sugeriu como medida "clientes atendidos por pessoa/hora". Era fácil medir o número de clientes por hora e, ao mesmo tempo, saber quantos colaboradores estavam trabalhando. No fim do dia, o gerente estava a par do número de clientes atendidos por pessoa/hora e, assim, podia planejar os futuros horários de trabalho da forma apropriada.

Portanto, é mais fácil alcançar essas metas de controle de trabalho usando quantidades específicas, de fácil medição. Os gerentes não precisam decifrá-las.

7. As metas devem ter prazo final.

Se você não tem um prazo final, não tem uma meta. É preciso saber *quanto* e *em quanto tempo.*

Nos esportes, as jogadas mais emocionantes costumam acontecer nos últimos dois minutos antes do intervalo ou do fim da partida. Quem nunca viu isso em jogos de futebol, vôlei ou basquete?

Prazos fazem com que o aluno que passou todo o semestre malandrando, sem conseguir acordar antes das 10 horas, vire a noite estudando para uma prova final. Nas campanhas de arrecadação de dinheiro por telefone, 40% do total levantado é obtido nos últimos 20 minutos. Uma das leis de Murphy diz: "Os primeiros 10% de um projeto exigem 90% de todo o tempo previsto para a conclusão do projeto. Os 90% restantes exigem 90% de todo o tempo – por isso ele demora duas vezes mais do que deveria para ficar pronto."

Prazos finais são o alicerce do compromisso. Provocam a adrenalina, instigam o sucesso e a inventividade. Uma meta sem prazo final é apenas uma declaração filosófica.

8. As metas devem permitir que a personalidade e os hábitos se modifiquem.

Que tal mudar um pouco levantando às 6 horas da manhã, trabalhando durante todo o dia e encurtando o tempo do almoço?

Se você dobrar seus rendimentos no próximo ano, como pretende gastá-los? A que irá destiná-los? A menos que você tenha um propósito para o dinheiro, não verá razão para se esforçar em obtê-lo. O que impede a maioria das pessoas de tentar aumentar seus ganhos financeiros é o fato de não saber o que faria com eles. Parece estranho, mas é verdade.

J. Paul Getty escreveu *How to Be Rich* (Como ser rico). Repare que o título não é "Como *ficar* rico". Getty falou sobre as responsabilidades da riqueza e sobre o tipo de personalidade necessário para aumentar e gerir o dinheiro. Paul Meyer disse: "Antes de estabelecer as metas, você precisa estabelecer os resultados que deseja."

Os resultados desejados são as características intangíveis que transformam as pessoas bem-sucedidas naquilo que são. Você não pode, por exemplo, se tornar um grande piloto de Fórmula 1 se tem medo de se acidentar.

Pessoas comuns que estejam desenvolvendo trabalhos triviais e recebendo salários medianos provavelmente nunca irão em frente se as coisas não mudarem. Se tiverem um problema sério – como um divórcio dispendioso, uma cirurgia não coberta pelo plano de saúde ou dificuldades com o pagamento de impostos –, serão pressionadas pela necessidade e produzirão um ganho maior. Ou não. Talvez prefiram se posicionar como vítimas e acreditar que outras pessoas ou o governo devem assumir obrigações que são delas. Mas nós podemos mudar – e fazemos isso – quando estabelecemos metas ou vivenciamos experiências traumáticas. As pessoas bem-sucedidas são campeãs em termos de mudança e de escolha.

9. As metas devem proporcionar benefícios.

Esses dois elementos caminham juntos, assegure-se disso ao elaborar seu programa. Não há dúvida de que os atletas olímpicos são motivados pela emoção envolvida na disputa, no ato de representar seu país e no desejo de estar no alto do pódio. No entanto, todos nós sabemos que o ouro olímpico se transforma em dinheiro por meio de contratos de propaganda, licenciamento de produtos e aparições públicas. Obter benefícios é uma das maiores vantagens proporcionadas pelo sistema capitalista.

Sempre que atinjo minha meta de vendas, converto meu lucro líquido em dólares, estabeleço um orçamento (separando o valor de que preciso para viver) e decido o que fazer com o resto.

Quando estiver planejando os resultados, pense em reservar uma quantia para você depois de cobertas as despesas básicas. Se a sua receita não for suficiente para isso – e caso você seja um profissional de vendas –, peça ao gerente que aumente sua meta.

Os benefícios explicam *por que* fazemos as coisas. Qualquer pessoa que receba a solicitação de realizar algo fora do comum quer saber o *porquê*. Ela não se interessa em descobrir como. Muitas vezes, achamos que estamos enfrentando um problema de comunicação quando tentamos explicar *como* a alguém e a pessoa só quer saber do *porquê*. No entanto, se formos capazes de definir claramente o *porquê*, alcançaremos o resultado desejado e o *como* surgirá de modo natural.

É comum suspeitarmos que as pessoas não estão recebendo

nossas mensagens ou que estão se recusando a atender nossos pedidos. Esse tipo de situação ocorre sobretudo quando elas não compreendem *por que* aquilo que estamos lhes dizendo é tão importante. O paradoxo é que, quando alguma coisa não é feita, perguntamos: "Por que você não fez isso?"

Nos esportes, o *porquê* é aparente. Um jogador de basquete não pensaria em entrar numa quadra para disputar uma partida se não fosse para vencer. Da mesma forma, você só toparia participar de uma corrida se fosse para ganhar ou se divertir. E não sairia para pescar sem a esperança de voltar para casa com algo mais do que o cansaço em seus braços. O *porquê* é parte integrante da recreação, porém às vezes não percebemos seu significado. Ele precisa estar presente também nas atividades pessoais, empresariais e voluntárias. Metas sem benefícios declarados não têm valor motivacional. Elas devem ser realistas e plausíveis, mas precisam, igualmente, conter a promessa de recompensa.

Uma boa idéia é estabelecer uma recompensa para quando a meta for alcançada. Todos nós gastamos dinheiro continuamente ao longo da vida – pagando o supermercado, a escola das crianças, a academia, a diarista, a prestação do apartamento. Muito animador. Alguma vez você disse à sua mulher ou ao seu marido que mal podia esperar acabar o jantar para fazer o cheque do condomínio?

Não existe nada especial na compra de roupas novas para o trabalho, mas pode haver se for uma recompensa pela conquista de uma meta. Prefiro adquirir um terno como recompensa a fazer isso apenas para aproveitar uma liquidação. Ainda que eu gaste mais, toda vez que usá-lo reforçarei o prazer que tive em alcançar o objetivo. Quando a recompensa é tangível, cumprir uma meta se torna uma experiência desejada, e não uma obrigação – e isso faz toda a diferença.

Caso você goste de música, sempre compre um CD depois de alcançar uma meta. Escreva na capa por que o adquiriu. Quando estiver de baixo-astral, ouça seus discos favoritos. Enquanto faz isso, leia o que escreveu nas capas e lembre-se de como atingiu aqueles objetivos. Você se sentirá bem melhor depois de passar meia hora ou meio dia fazendo esse tipo de condicionamento. O bom se torna melhor quando celebramos nossas vitórias. E, se você tiver lembranças tangíveis das suas conquistas, não as esquecerá.

10. As metas devem ser realistas e plausíveis.

Respeitar essas duas características levará você mais longe do que qualquer esquema que prometa realização pessoal instantânea ou riqueza imediata.

Se você não ganha mais do que 50 mil reais por ano e estabeleceu esse valor como sua média por muito tempo, não decida de repente que vai passar a ganhar 100 mil. A maioria de nós não é capaz de fazer as mudanças necessárias de personalidade e de hábitos de trabalho para isso. No entanto, estabelecendo metas realistas e nos dedicando a elas continuamente, podemos conseguir grandes resultados. É como nos anúncios dos planos de previdência. Se você depositar pequenas quantias desde os 25 anos, será um milionário ao se aposentar. Paul Meyer chama isso de "realização progressiva". Para mim, é o segredo do sucesso. Há um milhão de reais na sua cabeça, basta descobrir como esse dinheiro sairá dali. Seja persistente.

De modo geral, livros de auto-ajuda e cursos de motivação conseguem estimular as pessoas a realizar uma pequena mudança real. É difícil mudar, da mesma forma como não é fácil superar três gols de desvantagem e vencer a final de uma Copa do Mundo. Quanto mais realistas e plausíveis as metas, maiores as chances de mudança, mesmo que modesta.

Toda empresa deve ter metas organizacionais gerais, metas específicas de divisões e departamentos e metas individuais, isto é, as que pertencem a cada um dos colaboradores. E todas elas devem estar em sintonia.

Às vezes, as companhias decidem que o estabelecimento de metas deve ir somente até as divisões e os departamentos. Os supervisores são orientados a não interferir nas metas dos funcionários. Isso não faz sentido. *As metas individuais são o alicerce do desenvolvimento e do planejamento dos recursos humanos de uma organização.*

As pessoas são motivadas por necessidades e desejos. A empresa que compreende as necessidades e os desejos dos colaboradores e consegue influenciá-los obtém mais produtividade.

Muitos de nós somos orientados desde crianças a não desejar. Um professor de religiao ou um parente pode ter insinuado que não é possível ser rico e honesto ao mesmo tempo. No entanto só conseguimos aumentar nossa motivação quando intensificamos nossos desejos. Ter metas significa possuir desejos.

A definição clara de metas individuais é o alicerce do trabalho em equipe. Certa vez, um time da National Basketball Association (NBA) perdeu seu excelente pivô no início das semifinais do campeonato. Os outros titulares mudaram as jogadas para compensar a situação e a equipe acabou perdendo as três primeiras partidas daquela fase. Apenas quando o técnico colocou na quadra o pivô reserva, dizendo aos atletas que jogassem como se a estrela do time estivesse ali, o grupo conseguiu se entender. *O trabalho em equipe se baseia em grandes atuações individuais no cumprimento das responsabilidades que são designadas a cada um, e não em acordos e compensação.* O verdadeiro trabalho em equipe só acontece quando todas as pessoas são boas na execução das tarefas que lhes foram atribuídas.

O sucesso de uma das equipes americanas de vôlei feminino esteve diretamente relacionado à capacidade que a levantadora tinha de colocar a bola numa altura predeterminada acima da rede. Isso permitia que as jogadoras da linha de frente fizessem jogadas colocadas ou cortassem em direção à quadra adversária. Se as atacantes comprometessem sua habilidade de saltar e cortar para compensar a inabilidade da levantadora em fazer isso, teriam uma atuação medíocre.

No mundo dos negócios, as empresas eficientes são as que têm a capacidade de produzir e distribuir o produto no prazo prometido pelo vendedor. Fiquei chocado quando trabalhei em uma indústria onde se dizia que a entrega na data acertada não era *tão* importante porque os vendedores tinham desenvolvido a habilidade de convencer os clientes a aceitar um prazo maior. Na verdade, eles haviam construído uma cultura empresarial baseada no acordo. Esse não é um comportamento de vencedores.

Na sua empresa, você não conseguirá ter um grande trabalho de equipe se não definir claramente as metas individuais. Esse é o seu desafio, caso deseje que a motivação da diversão esteja presente no seu negócio ou na sua organização.

CAPÍTULO 3

Registrando índices

"Se você consegue medir, consegue gerenciar."
– George Odiorne

Você já percebeu a diferença entre as platéias de patinação no gelo e de hóquei no gelo? A primeira aplaude educadamente uma boa exibição. Os fãs de hóquei gritam quando gostam – e quando não gostam – do que vêem. Qual é a diferença? Os dois esportes envolvem patinadores habilidosos que se prepararam por muitos anos.

As platéias de patinação no gelo são tímidas por não saberem o que está acontecendo, não conhecerem o placar. Terminada a apresentação, os juízes levantam as cartelas com os pontos. É um sistema que descarta as maiores e as menores notas e o patinador não sabe sua colocação até ser tarde demais para fazer alguma coisa. É um sistema perverso de contagem, mas é o que existe.

No hóquei no gelo, assim como no futebol, no vôlei, no basquete e em outros esportes, é diferente. O público e os jogadores acompanham o placar o tempo todo. A equipe que está vencendo se empenha em manter a dianteira, enquanto a outra tenta alcançar o adversário. Os torcedores sabem o placar e podem estimular seu time a conquistar a vitória.

O registro de índices é o coração dos esportes e deve ser o

coração de todo negócio de sucesso. A primeira coisa que os jornais mencionam sobre um evento esportivo é o placar – quem venceu, os pontos de cada equipe. Em seguida, vêm as estatísticas, as medidas das realizações individuais dos times. Portanto, lemos primeiro o placar e só depois passamos para os comentários sobre a partida. Nos negócios, é comum acontecer o contrário.

Nas atividades esportivas, sobretudo nas de nível profissional, as medições vêm sendo continuamente realizadas e divulgadas com o objetivo de aumentar o interesse do espectador pelos jogos. No beisebol agora se conta a chamada porcentagem de *slugging*, que é o índice de potência do rebatedor, além da média de rebatidas e de *runs*. Há técnicos de basquete monitorando pontos por posse de bola para mensurar a eficácia de estratégias de ataque e defesa. No golfe, são avaliadas a precisão da tacada, as porcentagens de *putts*, o número de *greens* e os *putts* por volta.

Todo esporte tem seus cartões de pontuação, placares e folhas de estatísticas – e esses são registros que toda empresa deveria possuir também. O ideal seria que os gerentes ficassem sempre atentos a novas medidas para melhorar a produtividade.

A primeira responsabilidade dos gerentes é determinar as regras e criar cartões de pontuação. Não usar sistemas de contagem ou empregar métodos arcaicos são comportamentos que forçam os colaboradores a esperar indefinidamente por um feedback com o seguinte pensamento: "Só vou adiante quando souber se fui bem-sucedido."

Às vezes me perguntam quando se deve começar a marcar os pontos dos novos funcionários. Dou o exemplo da Liga Infantil de Beisebol. Na primeira vez que os garotos vestem o uniforme, tem início o acompanhamento da sua média de rebatidas. Todo jogador de defesa e de ataque começa a receber sua pontuação a partir do primeiro minuto em campo.

No mundo dos negócios, é comum orientarmos os recém-contratados a somente observar durante 90 dias, quando voltaremos a falar com eles. Costumamos avaliar apenas seu modo de usar o cabelo, os alimentos que comem no almoço, a hora que deixam o escritório no fim do dia. O acompanhamento e o registro dos seus pontos devem ser iniciados no primeiro dia.

Três métodos de gerenciar

Há três formas de gerenciar uma empresa: por observação, por julgamento e por medição. Quando gerenciamos por meio da medição, registramos os índices.

O *gerenciamento por observação* acontece quando João, o gerente de vendas, volta de um difícil compromisso profissional e encontra dois representantes do seu setor sentados sobre a mesa, rindo e se divertindo. O que ele não sabe é que um desses funcionários acaba de marcar reuniões com empresários com quem João está tentando agendar um contato há quatro anos.

Como acabou de perder uma representação de vendas, João não está de bom humor. Ao entrar na sala, ele se inclina e diz: "Se vocês estivessem trabalhando, não estaríamos neste atoleiro."

Situações como essa acontecem o tempo todo nas empresas.

Há três problemas básicos na gerência por observação:

1. É quase sempre imprecisa, como tentar julgar um livro pela capa ou um filme pelo trailer.

2. Não é relevante para o que está acontecendo. João viu duas pessoas se divertindo. Não se pode entender tudo por uma única visão. É como se um técnico de futebol reclamasse da marcação feita pela arbitragem num instante em que ele estava de costas para o campo.

3. Em geral, é negativa. Parece haver algo na natureza humana que torna mais fácil observar o lado negativo do que o positivo. Se os dois colaboradores estivessem numa ligação telefônica,

João provavelmente não teria dito nada. Não há como ganhar quando se usa o gerenciamento por observação.

O *gerenciamento por julgamento* acontece quando João entra na sala novamente e vê que os dois funcionários continuam batendo um papo animado, sentados sobre a mesa. É provável que ele faça um julgamento: "Hoje em dia esses garotos não trabalham duro como eu fazia quando entrei para a empresa."

Muitas vezes a pessoa não se livra dos fantasmas. Ela pode ter cometido um erro em 1977 e até hoje todos se lembrarem daquilo. Cada vez que, aparentemente, esse indivíduo está para tomar o mesmo tipo de decisão, alguém desenterra o fato: "Está lembrado daquela mancada que ele deu em 1977?" O perigo do gerenciamento por julgamento é fazer generalizações com base em dados insuficientes.

Quando corrigir alguém, seja sempre específico. Diga "Você se atrasou 45 minutos para a reunião de terça-feira de manhã" em vez de "Por que você está sempre atrasado?". Infelizmente, a maioria das pessoas gerencia mais por julgamento e observação do que por medição. O julgamento leva ao prejulgamento, que conduz ao preconceito – e este último nos cega.

É comum as pessoas fazerem generalizações negativas. Uma situação desse tipo é aquela em que alguém diz na segunda-feira de manhã que a situação econômica está difícil, que ninguém está comprando nada. Outro exemplo é o de executivos que deixam seus pensamentos a respeito de um ou dois fatos negativos crescer como um câncer.

"Você sempre..."

"Você nunca teve..."

"Você não terá..."

Jamais faça uma generalização negativa. Mesmo que você acredite que aquilo é verdade, essa atitude lhe fará mais mal do que bem. Ao descrever uma situação desfavorável, seja sempre específico. De quanto foi a queda nas vendas? Quantos pedidos não foram atendidos? Identifique claramente o fato que o está preocupando. Não faça perguntas vagas.

O método que funciona é o *gerenciamento por medição.* Acredito que nosso progresso, tanto nos negócios quanto na vida, está diretamente ligado à habilidade de mensurar.

A gerência por medição é importante para o processo que está sendo avaliado. A habilidade de interagir amigavelmente com outro colaborador não é relevante para o sucesso das vendas, no entanto o excesso de conversa pode roubar tempo de atividades mais produtivas.

Assim, *em primeiro lugar, a medida é importante para o processo.* Indica o que aconteceu, sobretudo em relação aos resultados.

Em segundo lugar, a medida é geralmente exata. Quando medimos algo, obtemos os números reais. Sabemos qual é a nossa verdadeira posição. Por exemplo, se eu lhe pedisse que criasse uma demonstração financeira, listando ativo e passivo, talvez você descobrisse que estava numa posição mais favorável do que pensava. A situação é sempre melhor quando sabemos onde nos encontramos.

Em terceiro lugar, medições exatas tornam o trabalho tão agradável quanto a diversão porque os participantes têm um meio de vencer. Quando medições específicas são aplicadas, o colaborador tem a possibilidade de ganhar.

Você pode estar se perguntando por que não se fazem mais medições, uma vez que seus benefícios são evidentes. Talvez algumas pessoas pensem que essa atividade é trabalhosa demais e demande muito tempo. Outras podem ter medo da verdade por imaginar que não estão realizando um bom trabalho. Como acreditam que estão perdendo, não querem saber o placar. O que elas não compreendem é que só podem vencer se registrarem os índices. Não há outro jeito de ganhar.

Há três tipos de profissionais ou jogadores:

1. Os que sabem que estão ganhando.
2. Os que sabem que estão perdendo.
3. Os que não sabem o placar.

Um fato é inegável: os que registram índices, estejam eles ganhando ou perdendo, vencem mais vezes. São pessoas que aceitam a responsabilidade pelas próprias ações. Preferem saber o placar, ainda que se encontrem em desvantagem. Os que alcançam a independência financeira realizam essa conquista tomando conhecimento do placar. Eles estabelecem metas específicas e verificam seu progresso na direção desses objetivos, até mesmo quando a situação é difícil.

Não há vencedor que não conheça o placar, assim como não há um golfista que ignore os nomes dos líderes do torneio que ele está disputando. As pessoas jogam e modificam seu comportamento com base nas informações do seu progresso em relação a um padrão aceitável – o cartão de pontuação.

A grande tradição do futebol americano da Universidade de Notre Dame se reflete no vestiário, onde há um placar com os pontos de todas as vitórias do time sobre seus nobres adversários. O impacto é incrível. *Os vencedores registram os resultados. Os perdedores registram as razões da derrota.*

Você não pode ser um mero espectador do Jogo do Trabalho. Tem que trocar seu ingresso pelo calçado adequado e ir para o campo, o único lugar onde os pontos são marcados.

O gerenciamento por medição encara a realidade, deixa de lado a linguagem e o pensamento do não-comprometimento. Quando perguntamos às pessoas se já terminaram o trabalho e elas dizem "praticamente", "uma boa parte" ou "estou acabando", isso significa que completaram cerca de 20% da meta. Essas digressões verbais são um modo de fugir da verdade. É o que se chama eufemismo.

Eufemismos estão ficando comuns nos negócios. Usamos "muito" se não temos nenhuma idéia do que se trata e "quase pronto" se nem começamos. Quando não terminamos um trabalho, dizemos que está "praticamente acabado". Evitar esse tipo de fuga melhora bastante o nível das interações.

Para algumas pessoas, a verdade contida na medição exata é pesada demais e elas não têm coragem de encará-la. Querem fugir da verdade concentrando-se nas atividades e não nos resultados. Com medições precisas, as coisas são enfocadas com total clareza, não há como esconder nada.

Se você tem coragem de registrar índices mesmo quando está perdendo, ganhará a longo prazo. A eliminação da incerteza por meio da contagem de pontos aumenta a habilidade de correr riscos calculados.

O eufemismo do fluxo de caixa

Um dos maiores rituais hoje nos Estados Unidos acontece em clubes privados onde líderes empresariais se reúnem para comer, se exercitar e dividir seus problemas. Quando você chega ali, alguém lhe pergunta como estão os negócios. Você pode responder: "Bem. Tenho apenas um pequeno problema no fluxo de caixa."

A pessoa que fez a pergunta e as demais balançam a cabeça afirmativamente como se fossem sábios deuses do Egito. Em seguida, ela afirma: "Sei o que você quer dizer. Estamos todos na mesma situação."

O que todos estão dizendo? Como pode um problema como esse ser pequeno se não há sequer um leve movimento de fluxo?

O *problema no fluxo de caixa* é um eufemismo, uma forma de escapismo, de evitar abordar uma situação grave. *O fluxo de caixa é o barômetro que verifica a saúde dos negócios.* Dizer que tudo está bem menos o fluxo de caixa é como afirmar que o estado do paciente é bom, exceto por uma febre de 40°C. Os executivos têm que enfrentar as dificuldades e lidar com elas.

Problema de fluxo de caixa é algo que não existe. Na verdade, ele é o sintoma de uma complicação maior. Talvez sua verdadeira dificuldade seja não conseguir cobrar o que lhe devem. Ou ter feito um estoque muito grande ou do tipo errado e agora não ter coragem de liquidar o excedente. Outra possibilidade é estar com medo de aumentar os preços para ganhar no valor. Ou de cortar despesas gerais desnecessárias – você não admite a possibilidade de demitir ninguém, mesmo tendo um número de funcionários suficiente para realizar 50% a mais de negócios. Talvez esteja sangrando o caixa da empresa fazendo retiradas maiores do que os ganhos.

Agora vamos pintar um quadro diferente. Imagine que você entra no clube, alguém lhe pergunta como vão os negócios e sua resposta é: "Não muito mal, a não ser pelo fato de eu ter feito um estoque muito grande. Estou com medo de cobrar o que me devem. Não tenho coragem de aumentar os preços e ganhar no valor. Também receio dispensar colaboradores de que não preciso. Estou sangrando o negócio porque faço retiradas maiores do que os ganhos. Mas, basicamente, as coisas não estão mal." Se respondesse assim, todos o olhariam dizendo: "Nossa, que péssimo administrador você é. Como ousa ser membro deste clube?"

O ministro da Propaganda de Hitler, Joseph Goebbels, disse que uma mentira repetida em voz alta e por muito tempo acaba se tornando verdade. É o que acontece com o fluxo de caixa. Se formos inteligentes, vamos ultrapassar seu aspecto geral e nos dirigir às questões específicas que o estancaram quando pensávamos que ele ia jorrar.

Problemas no fluxo de caixa decorrem de cinco grandes fatores:

1. *Excesso de estoque e de outros ativos sem liquidez.* O giro do estoque não é rápido o suficiente para justificar o custo de mantê-lo.

2. *Excesso de valores a receber.* Os créditos não estão sendo cobrados com a agilidade devida. Talvez a política de créditos tenha permanecido fraca ao perdermos caixa. Nossa coragem de cobrar foi inibida pela preocupação de comprometer outros negócios. Quem sabe estejamos operando com a falsa suposição de que vender para pessoas que não vão pagar é benéfico para a empresa de algum modo.

3. *Porcentagens inadequadas de lucro bruto.* Não estamos dispostos a realizar o aumento de preço necessário para que possamos sobreviver, e até mesmo prosperar, enquanto as vendas estão baixas.

4. *Falta de disposição para implementar medidas de redução de custos.* Sempre me impressiono com as pessoas que pensam que podem aumentar as vendas, digamos de 5 para 7 milhões, sem elevar os custos e que não podem diminuí-los caso as vendas caiam de 5 para 3 milhões, por exemplo. No início do negócio, as vendas eram de 2 ou 3 milhões, com custos proporcionais. No entanto, esses administradores não aceitam reduzir os custos quando as vendas declinam.

Reconheço que o corte de determinados custos pode prejudicar a empresa a longo prazo, como os que estão relacionados a espaço, prédios, bens imobiliários – elementos com custos fixos. Mas precisamos admitir que um edifício com excesso de gente e de estoque pode representar um gasto desnecessário. A meta é encontrar o nível ótimo de operação que nos permita alcançar o máximo de lucro e produtividade. Às vezes, temos que tomar uma atitude corajosa para que possamos seguir em frente.

5. *Remuneração inapropriada do proprietário da empresa e dos que tomam decisões-chave.* Proprietários, diretores ou gerentes que, apesar da diminuição dos lucros, aumentam sua remune-

ração estão contribuindo para a extinção do negócio. Bons fazendeiros não comem o trigo que serve para semear.

Nos negócios é comum esquecermos uma lição valiosa que os esportes nos ensinam: o valor dos pontos não é negociável. Quando um time de futebol americano marca um *touchdown* numa interceptação ou numa jogada de sorte, não corremos até o juiz dizendo: "Isso só vale quatro pontos." A equipe faz seis pontos, por mais fácil que tenha sido o *touchdown*. Nos negócios, é comum mascararmos a verdade com palavras. Precisamos voltar a um estilo de comunicação que diz: "Eles fizeram tudo errado", e não "O desempenho deles está abaixo do padrão, um pouco inferior ao mínimo exigido para identificar o trabalho e realizá-lo". Temos que ter coragem de nos comunicar com precisão, de chegar ao ponto central da questão.

Já usamos em demasia o confortável eufemismo "problemas de fluxo de caixa". Se antes o seu fluxo de caixa jorrava e agora é uma simples gota, procure pelos buracos nos canos. Não se satisfaça com o conceito genérico de que o crescimento, esse dragão bondoso, engoliu delicadamente o seu dinheiro e estraçalhou o lucro. O crescimento só é bom se proporcionar lucro e estiver baseado em ganhos. Ganhos reais sempre foram e sempre serão o melhor indicativo da saúde de uma empresa.

Lembre-se de que o chamado problema de fluxo de caixa não existe. Uma diminuição dos recursos financeiros é o resultado de outras dificuldades que você pode tentar resolver registrando índices.

Fundamentos do registro de índices

Estes são os fundamentos do registro de índices:

1. *Registro simples e objetivo.* Durante uma partida de golfe, eu estava me aproximando do buraco 18 quando o outro jogador

deu uma tacada, a bola lançou uma pedra num riacho, atingiu uma árvore, passou por um obstáculo na areia e, por fim, entrou. Ele me disse: "Ainda bem que o placar não diz como os pontos são conquistados, apenas quantos são." Um placar de basquete não destaca as cestas marcadas em lances de sorte nem em rebotes disputados. Um placar de vôlei não mostra quantas cortadas foram dadas nem quantos saques foram perdidos. No entanto, os jogadores que marcam cestas e gols, que bloqueiam, que realizam ótimos dribles ou que perdem a posse da bola logo sabem exatamente o que fizeram – e não apenas em um jogo, mas em todas as partidas da competição. Faça com que o registro seja simples e objetivo.

2. *O registro dos pontos deve ser administrado pela própria pessoa.* A contagem dos pontos funciona melhor quando é feita pelo atleta, como no golfe e no tênis. Por isso, bastam três pessoas numa barraca para marcar os pontos em um campeonato de golfe com 140 participantes. É também por esse motivo que quatro pessoas são suficientes para anotar os pontos de um torneio de tênis com centenas de atletas. É comum gerentes cometerem o erro de pedir a secretárias que façam os gráficos ou de imprimir os quadros com a pontuação dois ou três dias depois de ocorrido o fato. O melhor é que os gráficos e a anotação dos pontos fiquem a cargo dos próprios colaboradores.

Quando as pessoas registram seus índices, sabem quando ganham e quando perdem e quanto melhoraram, não importa se o técnico teve um mau dia. Elas também podem corrigir possíveis erros antes da divulgação. Nossa auto-imagem se baseia no que sabemos a respeito de nós mesmos.

3. *O registro de índices deve oferecer uma comparação em relação ao desempenho pessoal atual, ao passado e a um padrão aceito.* O golfe não seria um dos passatempos favoritos nos

Estados Unidos se a única idéia de comparação fosse o recorde de Johnny Miller no U.S. Open. Esse esporte sobrevive e se desenvolve porque possui um sistema de registro de índices que permite, por exemplo, comparar a mim, que tenho um *handicap* de 18 tacadas, comigo mesmo. Se vou ao campo e fecho com 90 tacadas, fico muito entusiasmado. Comparo esse desempenho com os que tive anteriormente e também com os dos atletas profissionais.

Nas maratonas, o sistema de contagem de pontos é parecido. Quantas pessoas brigariam para participar de um evento desse tipo se o relógio fosse desligado após a chegada dos vencedores de cada categoria?

O sucesso de um sistema de pontuação de uma atividade recreativa depende da eficácia de comparar o desempenho atual com os do passado e a média nacional aceita. Nos negócios, é comum produzirmos um sistema de medição de índices que avalia o desempenho com base em um padrão arbitrário, artificialmente imposto.

4. *O registro de índices tem que ser dinâmico.* Deve permitir aos jogadores rever seu desempenho durante o jogo. No trabalho, sua contagem de pontos é mais parecida com a do hóquei ou com a da patinação no gelo? Graças ao computador, temos acesso imediato a quase todas as informações do mundo dos negócios. Ninguém precisa esperar até o fim do mês para saber como está se saindo. Podemos nos atualizar todo dia, a toda hora. Como no futebol, os colaboradores tomam conhecimento do placar durante o jogo, embora a maioria das empresas ainda use o antigo sistema contábil de 12 períodos. Sabermos apenas em meados de abril o que fizemos em março pode ser tarde demais para realizarmos qualquer ajuste.

Para resumir os princípios deste capítulo, pense no boliche. Você já viu jogadores de boliche não motivados? Todos sabem como contar os pontos. Eles arremessam as bolas, derrubam os pinos, pulam, comemoram, e temos a impressão de que fariam quase qualquer coisa pelo prêmio em dinheiro.

O trabalho é como o boliche. A diferença é que há um supervisor na frente dos pinos e uma cortina diante deles. Só o supervisor vê os pinos. O jogador arremessa a bola, ouve alguma coisa e pergunta:

– Como foi?

– Mude a pegada – responde o supervisor.

– Mas como eu me saí? – insiste o jogador.

– Mova o pé – diz o supervisor.

O jogador muda a pegada, move o pé e arremessa outra bola.

– Como foi? – pergunta o jogador ao ouvir novamente os pinos caindo.

– Coloque uma fita adesiva no furo da bola – recomenda o supervisor.

– Como estou me saindo? – repete o persistente jogador.

– Não se preocupe. Teremos um relatório em seis meses. Você ficará sabendo.

Por quanto tempo o boliche se manteria popular nessas condições? Não muito. Comparando os negócios com esse esporte, vemos que os supervisores que acreditam no gerenciamento por medição não colocam uma cortina em frente aos pinos – os jogadores sabem exatamente quantos deles derrubaram com cada arremesso.

Implementando um sistema de registro de índices

Os princípios de medição discutidos neste livro precisam ser introduzidos com cuidado no ambiente de trabalho. Quase sempre existe resistência a mudanças. Além disso, os gerentes e trabalhadores que, no passado, concentraram a atenção na atividade podem ficar intimidados pela ameaça de se revelar seu desempenho, que talvez pareça inferior ao razoável. A verdade pode ser dolorosa e ameaçadora. Os funcionários que acreditam no gerenciamento por medição e desejam adotá-lo por livre escolha são, geralmente, os que mais se beneficiam desse sistema.

Hoje, muitos gerentes de nível médio se sentem incapazes de administrar, conversar, criar, disciplinar, ir em frente e construir relacionamentos com as pessoas. A filosofia de trabalhar pela exceção, de se concentrar nos problemas e de apagar incêndios resulta na resistência a parabenizar e elogiar com regularidade. Menciona-se aquilo que está errado, e não o que está certo. Com isso, os colaboradores são depreciados, pois é dada mais ênfase às suas falhas do que às suas realizações.

Comemorar é uma atitude que os gerentes devem adotar sempre. Excluímos a emoção do estilo de administrar, mesmo observando campeões, como os vencedores da Fórmula 1, tomar banho de champanhe para celebrar suas conquistas. A IBM desenvolveu uma cultura empresarial ligada à habilidade de festejar o cumprimento de metas de forma espetacular. A contagem dos pontos deve ser realizada para que as pessoas saibam quando podem começar a comemorar.

Um bom sistema de marcação de pontos permite que o colaborador ou o gerente estabeleça seu próprio valor aos olhos dos colegas, daqueles que estão sob sua coordenação e dos supervisores. Todos são recompensados, elogiados ou criticados de forma mais justa e precisa, com base em registros exatos de desempenho ou em cartões de pontuação.

CAPÍTULO 4

Feedback

"Quando medimos o desempenho, ele melhora. Mas, se além de medi-lo, informamos o resultado, a taxa de aperfeiçoamento se acelera."

– Thomas S. Monson

O que você acha que aconteceria se um técnico de futebol americano se reunisse com o time no vestiário antes de um jogo decisivo e entregasse ao *quarterback* uma lista de 100 jogadas em seqüência, dizendo: "Aqui estão as jogadas que eu quero que vocês executem. E tem que ser exatamente nesta ordem."

Será que algum dos jogadores faria alguma objeção? Claro, todos fariam. Pensariam que o técnico estava louco. Por quê?

Para que a melhor jogada seja adotada em determinada situação, é imprescindível que o atleta que a executará tenha o feedback do que ela proporcionou no último jogo ou em várias partidas anteriores. Esses registros são necessários para que seja feita a melhor escolha possível. Entregar ao time uma lista de jogadas predeterminadas antes do início da partida elimina o benefício proporcionado pelo feedback de se optar pela mais eficaz delas para cada situação em campo.

Nos negócios, com que freqüência entregamos a um colaborador uma descrição do trabalho – ou um conjunto predeterminado de jogadas –, esperando que ele realize as tarefas sem receber um feedback contínuo? Isso é muito mais comum do que gostaríamos de admitir. Fornecer feedback é vital nos negócios, na vida e nos esportes.

A pessoa que nos pergunta o que achamos do seu novo corte de cabelo quer um feedback. A criança que fez um trabalho na oficina do pai ou realizou sua primeira tentativa de arrumar a cama está interessada na opinião de alguém que ela respeite, seja um adulto, seja outra criança.

Nas atividades esportivas, o feedback é reconhecido com mais clareza e freqüência do que nos negócios. Quando passa a ser dado em áreas em que não era usual, os resultados podem causar impacto.

Anos atrás, fui chamado para prestar consultoria a uma empresa de transporte expresso que estava apresentando problemas no arquivamento das contas de frete. Como é uma companhia controlada pelo governo federal, sujeita a auditoria, milhões de itens são arquivados todos os anos. Os quatro arquivistas estavam sempre atrasados três dias nos últimos 36 anos, isto é, desde a fundação da empresa.

Eu disse à supervisora que, se eles não conseguissem medir, não seriam capazes de administrar. Você pode imaginar a resposta: "Estamos tão ocupados arquivando que não temos tempo para medir nada."

Um dos executivos sugeriu medir por peso o material a ser arquivado. Afinal, todas as peças tinham tamanho e peso idênticos. Pareceu-me uma boa idéia, no entanto a supervisora afirmou: "É a segunda sugestão idiota que ouço hoje."

Por fim, dissemos a ela que faríamos uma tentativa de qualquer maneira. Resolvemos experimentar um sistema de medição similar ao do *handicap* no golfe. Decidimos monitorar quilos por pessoa/hora.

A supervisora reclamou:

– Não preciso disso. Meus colaboradores trabalham tanto quanto qualquer outro funcionário desta companhia, o tempo inteiro, todos os dias.

– Como você sabe disso? – perguntei.

– Tenho quatro cestas para o material que será arquivado. Todas as manhãs, o distribuo igualmente pelas cestas e entrego cada uma delas a um arquivista. Assim, as cestas estão sempre niveladas.

– E o que você faz num dia difícil? – perguntei.

– As cestas ficam mais cheias – ela respondeu, me olhando como se eu fosse um idiota.

Era óbvio que aquela mulher não estava a fim de brincadeira, mas insisti dizendo que gostaria que ela realizasse a pesagem do material que passava pelo departamento. Apesar da relutância, ela acabou concordando em pesar o que cada pessoa arquivava por dia.

Na primeira semana, registramos a média de 620g por pessoa/hora. Realmente não sabíamos se essa marca era boa ou ruim, porém era um começo. Na semana seguinte, desenvolvemos um cartão de registro de índices para os funcionários e lhes ensinamos a marcar os pontos, como num jogo, anotando cada um deles o peso do material que arquivava por hora.

Aconteceu, então, algo interessante. A média do grupo na segunda semana aumentou para 940g por pessoa/hora. No fim da semana, estavam somente um dia atrasados – pela primeira vez em 36 anos. Um milagre.

A supervisora me disse que não conseguiria acelerar ainda mais seu ritmo e manter a precisão. Respondi que eu entendia e que ela não se preocupasse com isso.

A produção da semana seguinte aumentou para 1,2kg por pessoa/hora. Não havia incentivo monetário, medidas disciplinares ameaçadoras nem promessas de promoção. A diferença era que eles estavam medindo o desempenho, registrando índices. O departamento compensara o atraso original e o arquivamento do dia terminava às 14h. Na quarta semana, a produção havia subido para 1,5kg por pessoa/hora e o trabalho era concluído até as 11h30.

Lembro-me de quando a supervisora estava arquivando 620g por hora e afirmando que não poderia ir mais depressa. Na última vez que verifiquei, ela estava fazendo 2kg por hora e sempre aumentando sua marca. A grande recompensa foi ver que os quatro arquivistas faziam parte de uma força-tarefa de oito pessoas naquele departamento. Quando dois dos colaboradores que não eram arquivistas tiveram que ir embora, eles disseram à supervisora: "Se nos disser como medir o que eles estavam fazendo, nós seguiremos em frente."

Podemos comprar todo tipo de máquina computadorizada de medir: desde um monitor de freqüência cardíaca para acompanhar o ritmo dos batimentos do coração durante uma corrida até um radar que mede a velocidade da bola num saque no tênis. Essas máquinas são construídas e vendidas porque os fabricantes e clientes entendem que, quando o desempenho é mensurado e registrado, o índice de aperfeiçoamento se acelera.

Provavelmente a mais significativa realização em termos de biofeedback envolve o coração. Se os pacientes podem ouvir seus batimentos cardíacos através de um sistema de som e ver o cardiograma numa tela, conseguem aprender a acelerar ou diminuir a velocidade do próprio coração. O feedback torna isso possível.

O feedback eficaz é acompanhado por seu próprio conjunto de termos. O mais importante deles é o *coeficiente de resultados por recursos* (CRR), que se refere a quanto está sendo realizado com os recursos disponíveis – como os quilos por pessoa/hora no exemplo do arquivamento. Gerentes bem-sucedidos conseguem produzir um resultado maior com a mesma quantidade de recursos ou o mesmo resultado com menos recursos. Se não puderem medi-lo, eles simplesmente não terão condições de alcançá-lo, pelo menos não de forma regular e planejada.

Já ouvimos falar de treinadores que, embora contem com jogadores talentosos, não têm um time vencedor. Eles não são capazes de administrar os recursos que possuem de um modo que proporcione resultados e, assim, acabam sendo demitidos.

Todos os gerentes, não importa se coordenam uma grande equipe ou apenas a si mesmos, devem fazer uma lista dos recursos de que dispõem – orçamento, pessoa/hora, tempo de utilização do computador, estoque, oferta de produtos, etc. Com isso, transformam recursos em resultados. Os CRRs podem ser usados em todos os níveis de desempenho.

Só se põe abaixo uma floresta cortando uma árvore de cada vez. Deixe que os contadores imaginem o retorno em coeficientes de investimento. Este livro lida com micromedições, como a dos quilos por pessoa/hora no exemplo do arquivamento e a dos minutos por caixas de garrafas descrita na introdução. Com as micromedições estabelecidas, as macromedições ocorrerão naturalmente.

Talvez você pense que o sistema de medição não serve para o seu tipo de trabalho, mas ficaria surpreso com tudo o que pode ser mensurado numa empresa, até mesmo na área das ciências humanas.

Certa ocasião, fui contratado para prestar consultoria a uma empresa que vendia material de construção. Essa companhia estava com dificuldades havia anos, como todo o setor. Seu macroproblema era saber o que poderia ser feito a propósito dos custos do trabalho (recursos) relativos às vendas (resultados). Disse-lhes que teríamos que encontrar um microindicador que medisse os resultados com base nos recursos. Esse índice não precisaria ter a precisão científica que o pessoal da área de impostos exige. Bastaria ser algo que mensurasse a mudança em determinado período.

Primeiro verificamos o que a empresa produzia. Vendas. Dólares. Mas quem sabe o que está acontecendo com o dólar se o seu valor muda quase todos os dias? Finalmente, determinamos que poderíamos medir o número de faturas produzidas pela empresa. Depois, nos voltamos para o recurso que as gerava – pessoa/hora.

Verificamos os últimos 18 meses de registros – incluindo 39 períodos de pagamento – e identificamos o número de pessoa/hora por fatura em cada um desses períodos. A relação entre os recursos humanos e a produção de faturas abrangeu desde o alto índice de 3,7 pessoas/hora por fatura até a baixa marca de 1,9 pessoa/hora para duas semanas de pagamento – uma variação significativa.

Quando analisamos os CRRs, descobrimos que o índice de 1,9 ocorreu no pico máximo, nos movimentados meses de verão. As marcas mais altas se registraram na baixa estação. Antes, a companhia suspeitava de que trabalhavam duro durante o inverno, mas não estava certa de quanto isso representava até rastrearmos o índice pessoa/hora por fatura. Com a segurança da medição exata, a administração decidiu que bastariam 2,25 pessoas/hora por fatura, mesmo durante os períodos fracos.

Tudo isso pode não parecer algo muito sofisticado para um gerente mais experiente, no entanto a empresa processou uma média de 1.600 faturas e foi capaz de cortar quase 2 mil pessoas/hora por período de pagamento. E quem fará o trabalho? As pessoas que ficaram. E elas continuarão realizando as tarefas de sempre. O pessoal dispensado não era necessário, porém a empresa só soube disso a partir do desenvolvimento do *microcoeficiente de resultados por recursos.* Os gerentes devem entender que a administração de recursos humanos é flexível e pode ser conduzida de acordo com o que eles desejam que seja feito. Mas apenas por meio da medição.

Corolários do feedback de Coonradt

Thomas Monson declarou: "Quando medimos o desempenho, ele melhora. Mas se, além de medi-lo, informamos o resultado, a taxa de aperfeiçoamento se acelera." Formulei dois corolários dessa idéia:

1. *Incrementar a freqüência do feedback melhora o desempenho em termos de qualidade e quantidade.* Se você tem dificuldade em administrar seu pessoal e o avalia mensalmente, adote uma medição semanal. Será mais eficaz. E a mensuração por dia ou por hora será melhor ainda.

Talvez você pense que realizar todas essas medições tome muito tempo. Mensurações significativas não consomem tempo nenhum. Em muitos exemplos, como no dos funcionários do arquivo, vemos que o tempo gasto para contar os resultados é mínimo diante do progresso que ele proporciona.

2. *Quando o feedback é ilustrado com mapas e gráficos, o impacto é ainda maior.* Hoje, nos negócios, lidamos com quantidades imensas de dados. Eles surgem em pilhas e caixas. Chegamos a imaginar que os programadores acreditam que são pagos de acordo com as montanhas de papel que mandam imprimir. No entanto, os dados têm pouco valor se não se tornam uma informação útil que possamos usar para tomar decisões. Com gráficos e mapas, temos mais facilidade de entender e assimilar essas informações. O feedback – o "placar" – torna-se ainda mais claro, assegurando um desempenho melhor.

Lembre-se de que, na falta de objetivos claramente definidos e registros precisos de índices, somos forçados a nos concentrar na atividade, o que nos escraviza. O objetivo de todo negócio deve ser atingir o nível em que cada um dos membros da equipe tenha seu cartão de pontuação. Sem metas nítidas e marcadores exatos, as pessoas continuarão pagando para suar a camisa por diversão, porém não se esforçarão tanto quando pagas para dar duro.

O feedback nos momentos certos é importante? O feedback freqüente é essencial? Nos Jogos Olímpicos de Verão de 1984, depois que Julie Ann McNamara, uma das principais ginastas americanas, realizou uma seqüência, houve um instante de preocupação quanto à sua pontuação. Os números não foram exibidos no momento esperado. Ocorreu um atraso de 90 segundos. Durante esse tempo, foi possível sentir o nervosismo dos 16 mil espectadores que estavam no estádio e imaginar a apreensão dos que assistiam ao evento pela TV em todo o mundo.

O que estava errado? Onde estava o problema? Noventa segundos de atraso e o mundo já estava se perguntando se os Jogos Olímpicos iriam continuar. Ainda assim, com que freqüência damos feedback aos colaboradores sobre seu desempenho? Evitamos fazer isso porque não gostamos de confrontos? Não queremos explicar o que deve ser realizado, o que os funcionários estão fazendo certo e o que estão executando de modo ineficiente? Às vezes, adiamos repetidamente a questão até que, por fim, dizemos: "Decidi lhe dar 30 reais a mais por semana. Alegre-se e vá para casa." Precisamos fazer melhor do que isso.

Se você não acredita que o feedback é importante, experimente dizer ao seu companheiro ou à sua companheira que a roupa que ele ou ela escolheu para aquela noite especial está apenas "legal".

CAPÍTULO 5

Escolhas

"O trabalho consiste em qualquer coisa que um corpo é obrigado a fazer; divertir-se consiste em qualquer coisa que um corpo não é obrigado a fazer."

– Mark Twain

Sou um esquiador de descidas. Acho loucura subir uma montanha se posso usar teleféricos para isso. No entanto, meus amigos que praticam *cross country* dizem: "Por que pagar para chegar lá em cima se você pode usar as próprias pernas?" Considero maluquice pular de um avião em movimento; porém, para os pára-quedistas, isso é divertidíssimo. E, com certeza, como mergulhador diplomado, vejo sentido em carregar um cilindro com capacidade para 40 minutos de ar nas costas e descer a 60m apenas para apreciar as maravilhas das profundezas. É uma escolha.

A escolha é o que nos move. Veja os vários modelos de carros. Quantas opções! Temos liberdade de optar por uma infinidade de produtos em cores, tamanhos e formatos diversos.

Apesar dessa liberdade de escolha, muitas pesquisas mostram que 2/3 das pessoas nem sempre sabem o que gostariam de fazer, contudo estão infelizes com a atividade que desempenham.

Imagine que, de manhã bem cedo, colocamos o seguinte cartaz

no início da via que leva ao centro da cidade: "Se você *tem que* ir trabalhar, acenda os faróis. Se *quer* ir trabalhar, buzine." Com certeza, veremos o mais silencioso dos desfiles de carros com faróis acesos. Agora pense que se trata de um fim de semana prolongado e que penduramos o cartaz: "Se você *tem que* ir à praia, acenda os faróis. Se *quer* ir à praia, buzine." O barulho será ensurdecedor.

Nossa vida é feita de *tenho que* e *quero*. Apreciamos as coisas que queremos fazer, mas não somos motivados por atividades que temos que fazer. Por que tantas pessoas não gostam do seu ambiente de trabalho? Porque ali suas escolhas são bastante limitadas – dizem-lhes exatamente o que executar e como. Elas não se divertem muito. Seu desempenho não é igual ao que teriam se estivessem participando de uma atividade recreativa.

Em *Excelência acima de tudo*, Tom Peters e Nancy Austin descrevem a liberdade de escolha na W. L. Gore and Associates, Inc. Quando novos colaboradores chegam, não lhes é *atribuída* uma tarefa. Eles têm permissão para circular à vontade durante algumas semanas e *encontrar* uma atividade. "Sempre nos organizamos voluntariamente em torno dos compromissos", diz Gore. Uma das suas sócias me confirmou que a empresa de fato funciona dessa maneira.

Quando se trata de diversão, as pessoas podem escolher uma atividade em que tenham um alto desempenho. Como resultado, são bem-sucedidas. Se elas querem surfar, estão livres para fazer isso. Caso queiram praticar ciclismo, também podem ir em frente. Quantas vezes você escutou alguém dizer: "*Tenho que* ir pegar onda hoje"? Sou tenista – por escolha. Os jogadores de futebol, porém, acham que os tenistas não correm o bastante. E já ouvi de um jogador de handebol: "Um homem de verdade não precisa de uma raquete para bater numa bolinha."

Os maiores tenistas do mundo podem não ser bons golfistas, mas ninguém os está forçando a jogar golfe. Esse princípio também se aplica ao mundo do trabalho: quanto mais possibilidades de escolha você der a seus funcionários – dentro dos limites do seu negócio, é claro –, melhor será o desempenho deles e mais eles gostarão disso.

Caso você conceda mais liberdade aos seus jogadores, alguns deles podem decidir fazer somente o mínimo. Com certeza, é assim que eles estão agindo com a liberdade que têm agora. No entanto, muitos realizarão bem mais porque a maior parte das pessoas se compromete com aquilo que escolhe livremente. Elas precisam se sentir donas do seu trabalho, o que só acontece quando têm escolha em relação a ele, a suas metas e a como alcançá-las.

Os vencedores não procuram mudar as regras, apenas entendê-las o bastante para ganhar. Isso também vale para as escolhas. Você precisa reconhecer aquelas que deve fazer e as que não estão ao seu alcance.

No trabalho, se você confiar nos seus colaboradores para que façam as escolhas que são capazes de fazer, eles se tornarão vencedores. Quando se trata de alguém importante, sempre explicamos por quê. Porém, a quem não é importante apenas dizemos como. As pessoas são capazes de dizer como nos sentimos a seu respeito pela maneira como falamos com elas. Às que são importantes damos autorização para fazer escolhas e, às que não são, impomos limites nesse sentido. Verifique a mensagem que você está transmitindo aos seus jogadores baseando-se nas escolhas que permite que eles façam.

Os colaboradores têm que entender os motivos por trás das tarefas que você solicita. Eles devem ajudar a negociar os resultados esperados. Necessitam receber permissão para auxiliar a determinar o que a empresa se tornará. Afinal, quando vão para casa e falam com os vizinhos, *eles* são a empresa e precisam ter escolha a respeito daquilo que são. Finalmente, depois de acertadas todas essas questões, as pessoas precisam ser autorizadas a usar os métodos que considerem adequados para cumprir as metas.

Se as pessoas tivessem sempre insistido em fazer tudo da mesma maneira que seus predecessores, não haveria avanço. O progresso surge por meio de indivíduos que, mesmo mantendo os olhos na meta, se dispõem a pensar fora dos limites normais e descobrem maneiras melhores, diferentes e mais rápidas de realizar as coisas.

A capacidade de tomar decisões

Os profissionais que têm a capacidade de tomar boas decisões costumam ser os mais requisitados pelas empresas. Eles são muito admirados. Queremos tê-los em nossas organizações. No entanto, só poderemos formar pessoas com esse perfil se, desde o primeiro dia de um novato, estivermos dispostos a oferecer a ele a possibilidade de escolha quanto ao local da sua mesa, à decoração do seu espaço de trabalho e a qualquer outra coisa que lhe dê um sentido de propriedade sem que isso prejudique o sucesso da companhia a longo prazo.

Você está incentivando a escolha? Está pedindo inovação? Deixa claro o que não pode ser mudado e o que os colaboradores são livres para escolher?

O comportamento

As escolhas que fazemos *são* nosso comportamento e não podemos alterar o resultado sem mudar nossa maneira de agir. Embora essa seja uma lição assustadora para muitas pessoas, ela é verdadeira. Não somos capazes de obter a conseqüência B se nos comportamos da maneira A. "Quero perder peso desde que não tenha que parar de comer doces", "Desejo ser financeiramente independente, mas sem deixar de usar os cartões de crédito", "Sonho em ser maratonista, só não me peçam que corra na chuva".

O comportamento sempre antecede os resultados. Assim como o modo de agir dos jogadores determina a pontuação alcançada pelo time, a forma como colaboradores e gerentes atuam estabelece o sucesso dos negócios. É comum atribuirmos a culpa pelos insucessos a influências externas. Na verdade, porém, é a maneira como os atletas se comportam que define se a vitória da equipe tem algum grau de consistência.

Podemos ir um passo adiante: a atitude é a principal causa do comportamento.

A atitude

A forma como *pensamos* determina a maneira como *agimos*, seja num acesso de raiva, seja na calma de uma sessão de planejamento. É imprescindível ter em mente que o pensamento precede a ação. Também é impossível nos comportarmos *sistematicamente* de modo contrário à atitude básica. Por coerção ou indução, podemos agir de modo incoerente com nossos valores de vez em quando, mas não sempre.

Isso nos leva ao problema que a maioria dos treinadores enfrenta. Embora eles consigam especificar que comportamento o jogador deve ter para produzir determinado resultado, não sabem como moldar a atitude para que o comportamento pretendido possa ser adotado.

Há duas forças poderosas que formam a atitude. Uma delas é um acontecimento emocional significativo. A morte de um ente querido durante uma competição esportiva é capaz de moldar de maneira significativa nossa atitude em relação àquele esporte. Uma severa repreensão do primeiro supervisor pode estabelecer a atitude do profissional em relação à gerência no futuro. Embora sejam necessários e reconhecidos como modificadores de atitudes, acontecimentos emocionais importantes não são reproduzidos com facilidade em ambientes de treinamento. E são de difícil controle.

A segunda força envolvida na formação da atitude é o condicionamento – trata-se da mesma força usada para treinar um cachorro numa coleira elétrica e para fazer com que o cão de Pavlov começasse a salivar ao ouvir a campainha.

O condicionamento

Você não usa uma coleira elétrica, mas tem que admitir que os condicionamentos passados influenciam sua forma de agir. Provavelmente, cresceu ouvindo frases como:

"As crianças devem ser vistas, jamais ouvidas."
"Não ponha no prato mais do que pode comer."
"Só fale se falarem com você."
"Não vá a lugar nenhum sem ser convidado."
"Nunca fale com estranhos."

Caso você trabalhe na área de vendas, o objetivo da sua atividade será totalmente contrário aos conselhos dos seus pais de não falar com estranhos.

Se não acredita em mim, pense num elevador, onde desconhecidos ficam de pé perto o bastante para se tocar, mas não trocam uma palavra. Entramos, nos viramos e olhamos para os números acima da porta. Da próxima vez que tomar o elevador, não se vire, apenas encare as pessoas. Observe que elas baixarão os olhos. Se você for ousado, diga: "Bom dia, tudo bem?" O condicionamento realmente molda as atitudes.

O que faz do condicionamento uma força tão poderosa? A repetição periódica. Não aprendemos a evitar estranhos apenas porque nos disseram para fazer isso, e sim porque nos diziam isso toda vez que saíamos. Talvez todos os pais tenham ido à escola juntos e aprendido a ensinar as mesmas coisas às crianças. Nenhum de nós era atrevido o bastante para pensar em outras opções. Nunca nos ocorreu questionar a fonte daquelas informações. Hoje há uma série de filosofias de investimento e decisões gerenciais guiadas por essas advertências.

Muitos de nós ainda seguem conselhos ouvidos na infância, como "Olhe antes de pular", "Guarde dinheiro para os tempos difíceis" e "Se não podemos dizer alguma coisa gentil a alguém, o melhor é não dizer nada". Esta última recomendação restringiu sensivelmente a disciplina gerencial.

A repetição periódica

Quando você está treinando, entende que o sucesso é resultado do comportamento, que é determinado pelas atitudes, que são formadas pelo condicionamento, que acontece pela repetição periódica.

O aprendizado repetitivo é o único meio de modificar o condicionamento, que altera as atitudes, que controlam o comportamento, que produz o resultado que desejamos. Uma viagem, uma conferência, um seminário ou um vídeo não levarão a esse resultado. Os publicitários dizem que são necessárias oito repetições da mensagem antes que o consumidor repare no produto.

Os vencedores entendem a importância do condicionamento, pois esse fator está relacionado a atitudes, ao comportamento e, por fim, à conquista do sucesso, ou do resultado. Essas pessoas estão sempre condicionando a si mesmas. Elas fazem isso revendo suas metas, lendo bons livros, cercando-se de outros indivíduos com metas definidas e priorizando repetições periódicas de pensamentos positivos enquanto afastam idéias negativas.

Você pode apostar que os jogadores de um time forte e vencedor não criam muitas jogadas durante uma partida. As jogadas "óbvias" do ataque são ensaiadas uma dúzia – se não uma centena – de vezes. Os atletas são condicionados por meio da repetição a responder a cada lance de forma predeterminada.

Os vencedores nos negócios também entendem o processo de condicionamento, a necessidade de repetição periódica, e fazem o que podem para usar essa força poderosa para conseguir sucesso e resultados.

As repetições periódicas influenciam o condicionamento, que influencia nossas atitudes, que influenciam o comportamento – as coisas que escolhemos fazer. Assim, podemos influenciar diretamente a nós mesmos e o nosso pessoal para fazer escolhas que trarão o sucesso.

Prestei consultoria a uma empresa que construía casas em módulos. Os carpinteiros trabalhavam dentro de uma fábrica e, em cinco dias, produziam cerca de 4 mil metros quadrados de casas finalizadas. Como era a semana de caça ao alce, os supervisores solicitaram ao vice-presidente autorização para sair cedo na sexta-feira. O executivo concordou, desde que a produção de 4 mil metros quadrados fosse concluída até às 12h daquele dia. Sugeri ao vice-presidente verificarmos o que aconteceria se permitíssemos que os próprios colaboradores – e não apenas os supervisores – escolhessem o dia que gostariam de sair mais cedo desde que entregassem aquele volume de produção. Ele aceitou a idéia. Os funcionários conseguiram sair ainda mais cedo – na quarta-feira, às 14h. Encanadores, eletricistas e montadores de teto, todos se ajudaram e o trabalho foi executado em tempo recorde. Por quê? Porque tiveram escolha. Originalmente, eles *tinham que* trabalhar até às 17h de sexta-feira. Mas, quando tiveram a oportunidade de fazer o que desejavam, eles *quiseram* fazer.

Se você pretende motivar seus colaboradores, se deseja que eles se sintam como membros de uma equipe e que trabalhem como se fossem os proprietários da empresa, precisa lhes dar liberdade para escolher de que maneira querem ter sucesso. Assim, eles alcançarão a meta de um modo que você jamais imaginou.

CAPÍTULO 6

O campo do jogo

"Os bons gerentes sempre procuram diminuir a incerteza."

– Chuck Coonradt

Como esquecer Rosie Ruiz, vencedora entre as mulheres da maratona de Boston de 1980? Ela fez um tempo incrível comparado ao das suas atuações anteriores. Por quê? Porque pegou um ônibus, o que, naturalmente, melhorou em muito a sua marca. Terminou a corrida, mas seu desempenho não estava de acordo com os critérios estabelecidos. O tempo de Rosie não foi registrado e ela não recebeu troféu, pois não há premiação para quem completa esse evento de ônibus. A maratona de Boston tem um campo bem definido, e essa atleta quis atuar fora dele.

Em qualquer tipo de empresa ouvem-se reclamações pela melhoria da comunicação, tema de milhões de conversas todos os dias. Esse problema não é tão grave entre os atletas quanto é nas companhias. Quantas das jogadas numa partida de futebol deixam de ser explicadas aos jogadores? Poucas, talvez nenhuma.

Antes de desenvolvermos nossas metas, devemos estabelecer critérios em relação ao campo do jogo. Quando o Dr. James Naismith pendurou a primeira cesta de pêssegos na parede do celeiro, criando o basquetebol, teve que definir as dimensões do campo e as regras. Precisou explicar aos jogadores quando as cestas contariam pontos ou não, onde eles poderiam driblar e onde estariam fora dos limites.

Ninguém pode começar a jogar sem o campo estar completamente definido. Os limites devem ser marcados antes que se estabeleçam as metas e o jogo tenha início. Até mesmo para disputar uma pelada num terreno baldio, as crianças decidem os limites do campo antes da partida.

Nos esportes, os campos são inteiramente conhecidos. Se o convido para jogar tênis, você imagina que vamos a uma quadra de tênis. Caso eu diga "Pegue seus tacos de golfe", vai apenas perguntar em que campo vamos jogar.

O formato do campo diz muito a respeito da natureza do jogo. É incrível que, nos negócios, não tenhamos feito mais definindo o campo antes de sairmos correndo com um carro abarrotado de equipamentos ou de colocarmos um novo computador na mesa de um gerente.

Você pode estar imaginando por que estou falando sobre algo tão óbvio. É porque há centenas de exemplos nos negócios, fatos comuns, diários, em que se espera que as pessoas atuem sem conhecer o campo. É incrível nossa capacidade de não perceber o que é evidente.

O campo do jogo nos negócios

Imagine um vendedor que acabou de sair de uma reunião interna em que foi duramente repreendido por aceitar um número excessivo de devoluções dos clientes.

Uma das reclamações do gerente foi por ele ter aceitado a devolução de um produto de 100 reais comprado meses antes: "Como esperamos ganhar dinheiro se os funcionários ignoram a política da empresa?"

Duas horas depois, esse mesmo vendedor atende uma amiga

do gerente que quer devolver um produto adquirido em outra loja da rede. O gerente sabe que ela é uma boa cliente e o funcionário se lembra do que ouviu na reunião da manhã. Eles possuem percepções diferentes do campo do jogo, que nunca foi definido com clareza.

Enquanto o vendedor explica educadamente à cliente por que a empresa não vai aceitar o produto de volta, o gerente chega dizendo: "Bom dia, Dona Lúcia, como vai? Fico feliz em vê-la na loja. Claro que vamos fazer a troca."

O funcionário fica confuso. O campo não está mais claro e ele se esconde pelo resto do dia. Não se mudam as regras no meio do jogo sem destruir a confiança do jogador.

Deve haver diversos exemplos de situações na sua empresa em que alguém ultrapassou os limites ou misturou suas tarefas com as de outra pessoa porque não sabia claramente quais eram os limites do seu campo.

Você consegue pensar em alguém que tenha um campo totalmente definido na área profissional? Que trabalhe num ambiente de absoluta segurança, com políticas e procedimentos claros? Com regras de atuação evidentes, segurança, garantias, um período de férias – uma pessoa que saiba exatamente o que fazer a cada dia? Pode ser que você pense num funcionário de linha de montagem ou no encarregado de operar a máquina de selos no correio. Talvez imagine que pessoas que executam atividades desse tipo não são felizes porque não são desafiadas. Ao contrário de você, elas não convivem com a variedade, a diversão e o risco, mas têm um alto nível de conforto, um grau de certeza bastante elevado.

Em casos como esses, as pessoas têm um campo de jogo parecido com um quadrado. O quadrado é simétrico, os lados apresentam determinada medida. Ninguém tem dúvida em relação a seus limites. Nos negócios, a liberdade é maior quando as fronteiras são nítidas. Sabendo onde é a borda, dispomos de mais segurança. Prefiro estar atrás do carro de um policial a me preocupar por ele estar escondido em algum lugar com seu radar. Acho muito melhor dirigir numa estrada escorregadia, mas onde minha visão seja clara, do que guiar na neblina. Minha liberdade e segurança são maiores quando meus limites estão claramente definidos.

Certa ocasião eu estava com o velocímetro do carro quebrado e ia para uma cidade a 50km de casa. Estava atrasado para um compromisso e tinha recebido duas multas por excesso de velocidade nos últimos três meses – mais uma e eu perderia a carteira. A insegurança era incrível.

Eu olhava para o relógio e me lembrava de que estava atrasado. Aumentava a velocidade. Depois, enquanto ultrapassava outros carros, via que estava indo depressa demais e diminuía. Imaginava que no fim de cada declive encontraria um carro da polícia com radar me esperando. Aos poucos, a incerteza me forçou a me reprimir. Como não conhecia os limites, precisava me esforçar para não sair da área delimitada. Com duas multas, não podia me arriscar. Se o velocímetro estivesse funcionando, eu poderia chegar perto do limite, indo a 90km por hora sem ansiedade, sabendo que estava no campo do jogo.

Às vezes nos encontramos num campo que tem o formato de uma rosquinha. Temos uma grande área de responsabilidade e um pequeno espaço de autoridade. Essa é a frustração de muitos profissionais que, ocupando determinadas posições nas empresas, recebem instruções quanto ao que a gerência espera, porém pouca autoridade para corresponder à expectativa. Sua resposta é divagar sobre a empresa dizendo "Carlos me disse...", "Carlos falou...", "Carlos quer que nós..." e nunca estão seguros quanto à autoridade que representam e não encontram satisfação com a própria autoridade. A rosquinha, infelizmente, torna-se um centro onde pouco é realizado.

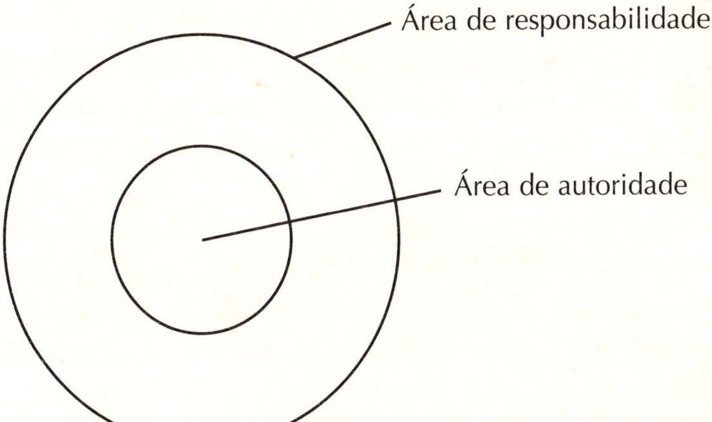

Quando surgiram os computadores pessoais, houve uma corrida louca, com dezenas de empresas competindo por uma fatia do mercado. Descontos e reduções de preço eram comuns para que os fabricantes empurrassem suas mercadorias aos confusos lojistas. O resultado foi um excesso de estoques, o que causou a queda dos preços. A maioria das agressivas indústrias do setor se viu sem lucro, lutando pela sobrevivência. Ninguém se preocupou em estabelecer os limites antes do início do jogo. O tamanho do mercado, as estatísticas da população, os padrões de compra e os perfis dos clientes não estavam claramente definidos. Sem um campo delimitado, o resultado foi o caos.

Outra forma comum de um campo de negócios é a de uma ameba – uma forma globular, aleatória. Ela mostra a compreensão que as pessoas têm do que elas pensam ser o esperado. O problema é que a ameba se move e se agita, fazendo com que seu formato mude. Quando algo dá errado e o profissional não reconhece sua responsabilidade no fato, certamente alguém o culpa pelo que a ameba fez.

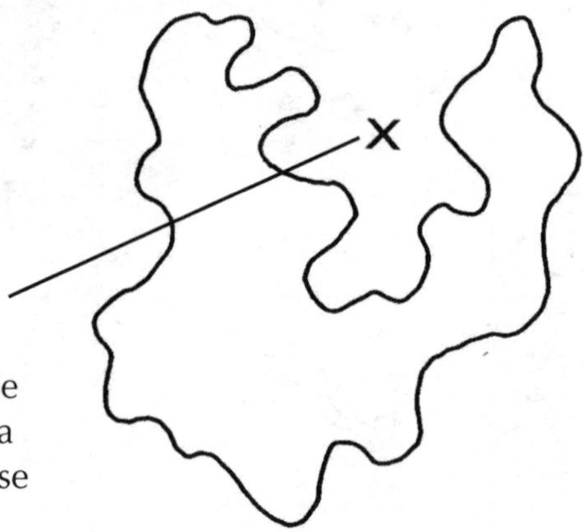

Ponto em que o jogador pensava estar a salvo.
A ameba tem a capacidade de mudar seu formato para responsabilizar o jogador se alguma coisa der errado.

Repetindo: o campo ideal pode ser representado por um quadrado. O problema é que o quadrado tem uma tampa. Se a removermos e permitirmos uma passagem para o crescimento, acredito que teremos o campo perfeito para os negócios, como no diagrama a seguir.

The Game of Work, LLC

Campo do jogo

Área de reconhecimento

Linha do gol

Extremos fora dos limites

1	2	3
Primeiro CRR	*Segundo CRR*	*Terceiro CRR*

Procedimentos fora dos limites

Padrão de desempenho

Zona de segurança

Jogador humilde – técnico prestativo

Linha final

Desempenho fora dos limites

Do lado esquerdo do campo estão os extremos fora dos limites – causas de demissão imediata dos jogadores, como apropriar-se indevidamente de fundos da empresa. Do lado direito estão os procedimentos fora dos limites – coisas que eles não podem fazer no trabalho, como usar camiseta e calça jeans numa apresentação de vendas. Não seriam demitidos, mas deveriam voltar para casa e trocar de roupa. Embaixo do campo está o desempenho fora dos limites – o espaço onde os colaboradores não estão atuando. Os atletas não são retirados do time, porém podem ser transferidos para uma nova área de responsabilidade.

Como é realmente a primeira palavra na pergunta do técnico: "Como posso ajudar?" Isso significa que ele está pronto para colocar toda a sua atenção e experiência a serviço do jogador e auxiliá-lo a selecionar um curso de ação (jogadas) que vai melhorar seu desempenho, tornando-o melhor do que o usual. Nessa área, os jogadores devem ser humildes e aceitar os conselhos do técnico. Este último, por sua vez, tem que ser prestativo e fazer o possível para que o atleta alcance o padrão mínimo.

A *comemoração* significa exatamente isso. O técnico é o chefe da torcida, incentivando e celebrando os resultados que superam o padrão. Os jogadores que conseguem chegar a esse ponto têm total liberdade. É a área em que os atletas atuam acima do patamar mínimo. Dispõem de liberdade para jogar como quiserem de acordo com as regras para atingir as metas estabelecidas. Não estão sujeitos a grande vigilância nem a supervisão, embora possam recorrer ao técnico.

As áreas 1, 2 e 3 são os CRRs, pelos quais os jogadores são responsáveis. Eles podem ser encarregados de um ou mais desses recursos. Isso é decidido por você e por eles.

De um lado ao outro da linha do gol está a área de reconhecimento, onde são concedidos níveis especiais de compensação ou privilégios para os jogadores que têm desempenhos brilhantes.

Você deve conversar com todos os seus colaboradores, novos

e antigos, para definir esses elementos no campo onde eles vão jogar, principalmente porque o campo pode ser diferente para cada um deles.

O primeiro elemento a determinar são os *extremos* e os *procedimentos* fora dos limites.

Certa vez, eu estava trabalhando para uma empresa de fast-food que tinha sete filiais. Em meio a uma discussão sobre medo e expectativas, perguntei a um dos gerentes:

– Dave, você tem algum medo nesta empresa?

– Ah, temos muitos medos aqui – ele respondeu.

– De que, exatamente? – insisti.

– De ser despedido – revelou.

Fez-se silêncio na sala porque o presidente da companhia estava lá com as equipes de supervisão e administração. Perguntei:

– Dave, já que você tem medo de ser despedido, me dê o exemplo de uma coisa que, se você fizesse, poderia causar sua demissão.

– Não sei – ele disse, depois de pensar por um instante.

Reflita sobre isso. *Uma pessoa com um medo constante, mas que não sabia por que poderia ser despedida.*

Fiz essa pergunta aos outros gerentes e todos eles responderam que tinham o mesmo medo. Tiro meu chapéu para o presidente da empresa, que ficou ali em silêncio. Mais tarde, numa reunião apenas comigo, ele confessou seu espanto. Assegurei-lhe que aquilo não era incomum e sugeri que corrigisse a situação fazendo uma lista das ações que considerava graves o suficiente para uma demissão.

Na reunião seguinte, uma relação de 18 itens foi mostrada aos gerentes, que a leram com interesse. Ouviam-se apenas os suspiros dos participantes. Dave conseguiu resumir melhor do que qualquer um deles:

– Não estou fazendo nada disso – afirmou.

– Então, não tem com o que se preocupar – explicou o presidente da companhia.

Na minha empresa, elaboramos uma declaração relacionando os extremos e os procedimentos que consideramos fora dos limites (veja sua reprodução na página 85). Nessa lista dizemos claramente o que pode causar a demissão de um jogador e não nos desculpamos por isso. Se os funcionários não gostarem das condições, podem procurar trabalho em outro lugar. Caso concordem, não precisam se preocupar com as causas de demissão. Já *sabem* quais são elas e assim se concentram em vencer usando as regras e sem medo.

Depois de explicar as regras aos jogadores, é preciso estabelecer com eles as outras áreas no campo do jogo. Na The Game of Work, LLC, fazemos isso por escrito *com a agenda de desenvolvimento e de reuniões com o técnico*. Esse guia e seus documentos de apoio (que também reproduzimos neste livro) lhe darão uma boa idéia de como definimos os campos do jogo em nossa organização. Talvez você queira adotar um curso de ação similar em sua empresa usando esse material como modelo. Nós encadernamos esses textos com uma folha de rosto e chamamos essa coleção de *Acordo do campo do jogo*. Esse material deixa claro aos colaboradores o que esperamos deles.

O importante não é o modo como você define o campo do jogo para os jogadores. O fundamental é que ele seja estabelecido com precisão e clareza para toda a empresa.

The Game of Work, LLC

Campo do jogo
Fora dos limites

Extremos fora dos limites

Como nosso negócio é baseado na confiança e no respeito pela integridade e pelo profissionalismo, devemos estar acima de qualquer crítica. Assim, está sujeito à demissão imediata o colaborador da Game of Work, LLC que se envolver nas seguintes situações:

1. Fraude ou roubo; todo tipo de apropriação indébita de dinheiro, mercadorias, estoques ou segredos da empresa.

2. Qualquer violação de copyrights da empresa, dos seus dirigentes ou dos seus fornecedores que possa colocar nossos contratos em risco.

3. Falha na realização de um serviço que fomos contratados ou pagos para executar.

4. Uso da representação da empresa ou dos contatos resultantes do trabalho ou do desenvolvimento de know-how pessoal na organização para prestar serviços particulares iguais ou similares àqueles que realizamos.

5. Mentiras ou deturpação de fatos referentes a vendas, contas a receber e ao seu próprio paradeiro ou comportamento e aos de outro colaborador.

6. Adultério, sexo ou relação imoral com outro funcionário da empresa ou um cliente.

7. Mau comportamento, diante de um cliente, que seja resultante do uso de álcool ou drogas, no trabalho ou socialmente.

8. Qualquer declaração a outro indivíduo que seja desleal, degradante ou difamatória em relação à empresa, a seus diretores ou a seus colaboradores.

9. Não conceder a funcionários, clientes e funcionários de clientes o tratamento digno de um ser humano.

10. Qualquer comportamento público ou privado que destoe da reputação ética e profissional da empresa.

Procedimentos fora dos limites

1. Deixar de assistir a duas reuniões de treinamento consecutivas sem licença do gerente de vendas ou de um diretor.

Lido e recebido: ______________________________

Aprovado: ______________________________

Assinado: ______________________________

The Game of Work, LLC

Campo do jogo
Agenda de desenvolvimento

Recomendações

1. Crie uma pasta *campo do jogo* para cada acordo (uma cópia para o treinador e outra para o jogador). Ela deve conter:

   a. O diagrama do *campo do jogo* (veja a página 81).
   b. Declarações – *extremos e procedimentos fora dos limites* (veja as páginas 85-86).
   c. Expectativas do técnico (veja a página 92).
   d. Compromisso de apoio do técnico ao jogador.
   e. Três a cinco cartões de pontuação em áreas de atuação mensurável.

2. Todas as reuniões devem acontecer em até quatro semanas.

3. Cada membro da equipe negocia seu acordo como jogador antes de iniciar qualquer acordo como técnico.

Primeira reunião

Data

__________ 1. O técnico define por escrito os itens fora dos limites.

a. *Extremos*

1. No âmbito da empresa.
2. Aplicações individuais.

b. *Procedimentos*

__________ 2. O técnico sugere de três a cinco áreas para registrar índices (vendas/dia, média de pedidos, lucro bruto, lucro por transação).

__________ 3. O técnico completa a declaração de expectativas para o jogador.

Segunda reunião

(Deve ser realizada sete dias após a primeira reunião.)

Data

__________ 1. O jogador sugere outras áreas para registrar índices (se houver acordo entre ele e o técnico, essas áreas são propostas pelo técnico).

__________ 2. O jogador pede ao técnico que se comprometa a apoiá-lo.

__________ 3. O jogador fornece sua declaração de expectativas.

Terceira reunião

(Deve ser realizada sete dias após a segunda reunião.)

Data

__________ 1. O jogador sugere os padrões mínimos de atuação para essas áreas de medição.

__________ 2. O jogador propõe níveis de reconhecimento e prêmios desejados.

__________ 3. Negociação e acordo em todas as áreas de atuação.

__________ 4. Revisão de gráficos e acordo em relação à freqüência de relatórios.

__________ 5. Assinatura dos acordos finais.

Quarta reunião (e reuniões mensais seguintes)

(A quarta reunião deve ser realizada 30 dias após a terceira reunião.)

1. Revisão do processo de registro de índices:
   a. O jogador apresenta os cartões de pontuação em ordem decrescente.
   b. O técnico fornece o feedback apropriado.
      i. Se o desempenho está na zona de *comemoração*, ele é celebrado.
      ii. Se está na zona do *como*, o jogador sugere três jogadas para executar nos próximos 30 dias.
         1. O técnico fornece informações adicionais em relação às jogadas.
         2. O técnico e o jogador chegam a um acordo sobre as jogadas.
         3. As jogadas são acrescidas ao cartão de pontuação.
         4. As jogadas são listadas em ordem decrescente de importância.
         5. As jogadas devem ser descritas de modo objetivo e específico, e não num sentido genérico (por exemplo, "Ligar para 10 clientes potenciais listados por nome" em vez de "Melhorar minha capacidade de realizar contatos").

2. Revisão de projetos
   a. O jogador apresenta uma lista de projetos realizados nos 30 dias anteriores (três a cinco itens).
   b. O técnico fornece sugestões de itens para os 30 dias seguintes.
   c. O técnico e o jogador chegam a um acordo em relação à lista.
   d. Os projetos são relacionados em ordem decrescente de importância.
   e. A lista é fornecida ao técnico e ao jogador.

Passos concluídos nos últimos 30 dias

1. ______________________________
2. ______________________________
3. ______________________________

Passos planejados para os próximos 30 dias

1. ______________________________
2. ______________________________
3. ______________________________

Sabemos que os resultados são produzidos pelo comportamento de todos os membros da equipe e reconhecemos que cabe ao técnico conduzi-los até onde eles acreditam que não conseguirão chegar sozinhos. O técnico deve pensar não apenas na posição que cada jogador ocupa agora, mas naquela em que eles devem estar preparados para jogar, visando ao sucesso futuro da equipe e ao seu próprio. Como a melhora da atuação é centrada na mudança de comportamento, essa é a oportunidade de adotá-la.

3. Plano de desenvolvimento de pessoas
   a. Que comportamento o jogador precisa eliminar?

   ____

   b. Que comportamento o jogador precisa adotar com mais rapidez?

   ____

   c. Que comportamento o jogador precisa começar a assumir?

   ____

É aconselhável que os comportamentos relacionados não mudem a cada mês, e sim que permaneçam na lista até que as transformações aconteçam e os jogadores os incorporem naturalmente.

Todas as mudanças de comportamento devem ser escritas e entregues ao jogador e ao técnico para comparação entre as sessões.

The Game of Work, LLC

Campo do jogo
Plano mensal

____

Prazo final

Prioridades para 30 dias

1. ____
2. ____
3. ____

Orientações:

Seja específico.
Estabeleça metas objetivas e não genéricas.

uma cópia para o jogador
uma cópia para o técnico
uma cópia para o arquivo

The Game of Work, LLC

Campo do jogo
Expectativas do técnico

1. Ter uma orientação de carreira.

2. Ser um consultor consciente.

3. Dar apoio ao jogador.

4. Prestar 110% de apoio, especialmente diante de membros da Game of Work, LLC.

5. Ser positivo e específico.

6. Assumir os pontos negativos. Deixar os pontos positivos com os jogadores.

7. Escrever ao menos uma vez por semana todas as questões não resolvidas e enviá-las para a presidência da empresa.

8. Esperar o crescimento por meio de novas tarefas e técnicas. Admitir limitações auto-impostas e combater antigos condicionamentos negativos.

9. Manter as metas pessoais e o programa de registro de índices atualizados e à altura de ser demonstrados.

10. Esperar que a comunicação do "porquê" seja usada e empregá-la. Se ela não existir, pedir que seja adotada.

11. Acreditar nas motivações do técnico para ter basicamente o melhor.

Um campo de jogo bem definido resulta em certeza e coerência. Somente após esse passo se podem fixar metas realistas. Você precisa saber onde está o campo antes de determiná-las. Na diversão, começamos com uma demarcação clara dos limites e criamos as metas. Nos negócios, muitas vezes estabelecemos metas sem limites nítidos. Por isso costuma ser difícil saber se elas são realistas ou não. Os limites devem preceder as metas, nos negócios e nos esportes.

Ser um bom técnico exige mais do que escrever um manual ou ter um arquivo cheio de acordos para o campo do jogo. É preciso dedicar tempo ao treinamento.

A maneira mais eficaz de fazer isso é instituir sessões individuais com *cada* jogador *todo mês*. Se você tem um colaborador que trabalha 44 horas por semana, ou 176 horas por mês, não é muito pedir que menos de 1% do seu tempo tenha uma finalidade específica.

Sei que damos ordens e instruções. Temos reuniões com a diretoria, reuniões com equipes de colaboradores, reuniões para planejar reuniões. Mas agora estou falando de sessões individuais de treinamento do técnico com cada jogador, conduzidas com franqueza e com ótimo aproveitamento do tempo.

Nenhum treinador gostaria de ver seu time participar da fase principal de um campeonato se alguém lhe dissesse que ele não poderia falar com os jogadores entre um jogo e outro nem nos intervalos das partidas. Provavelmente, ele não se sujeitaria a essa condição, embora nos negócios aceitemos tarefas que têm apenas sessões de revisão semestrais ou anuais.

Os gerentes da Game of Work e os clientes que adotaram nossa filosofia asseguram-se de prestar treinamento freqüente e *regular* aos funcionários. Eles fazem isso com a folha de rosto do *Acordo do campo do jogo*, um calendário elaborado pelo jogador e pelo técnico, com as datas e os horários das reuniões. O *Acordo do campo do jogo* é o documento mais importante no mundo dos negócios hoje. Por quê? Porque assegura que o treinamento e o feedback serão realizados. Pode ser atualizado mensalmente ou em intervalos menores, de acordo com o desempenho. É simples, direto e específico. Acima de tudo, é eficiente. A folha de rosto do nosso acordo é assim:

The Game of Work, LLC

Acordo do campo do jogo

entre

Técnico ____________________ Posição ____________________

e ____________________ Posição ____________________

Primeira reunião	Data ____	Técnico ____	Jogador ____
Segunda reunião	Data ____	Técnico ____	Jogador ____
Terceira reunião	Data ____	Técnico ____	Jogador ____
Primeira reunião mensal	Data ____	Técnico ____	Jogador ____

O feedback deve ser honesto e positivo, mas nunca muito freqüente. Crie um calendário para que os jogadores saibam as datas e os horários com antecedência. Se o seu nível de atuação é muito abrangente para que você possa prestar esse tipo de treinamento de qualidade, forme um segundo nível de gerência, tenha técnicos assistentes. Não fique atado a um sistema que não assegure o feedback aos funcionários.

Um dos maiores problemas no mundo do trabalho hoje é se explicar às pessoas o que se espera delas. Todos têm direito à liberdade pessoal e à autodeterminação, mas, para que o trabalho seja realizado, tanto nos esportes quanto nos negócios, alguém tem que dizer o que fazer e como.

Sem a clara definição do campo do jogo, surge a incerteza e o desempenho é prejudicado. Quando o campo é nitidamente estabelecido, os jogadores conhecem os limites dentro dos quais podem vencer.

CAPÍTULO 7

Vencendo

"Todos nascem com chances iguais de se tornar inteiramente diferentes."

– Anônimo

Você sabe responder que país venceu a última Copa do Mundo de Futebol? Ou quem é o atual campeão da Fórmula 1? Ou o nome do maior jogador de futebol de todos os tempos?

Não deixe ninguém dizer que ganhar não é importante.

Há uma empresa em Salt Lake City que fabrica produtos com o emblema da Liga Nacional de Futebol (NFL). Ela é parte de uma indústria de 1 bilhão de dólares. Seus maiores clientes são pais entre 25 e 29 anos que não conseguiram se destacar como jogadores de futebol americano e agora esperam que, apenas tendo contato com o emblema, seus filhos se saiam melhor do que eles.

Centenas de empresas nos Estados Unidos fabricam produtos para a NFL. Como eu disse, trata-se de uma indústria bilionária. Quase metade de todos os artigos da Liga vendidos a cada ano tem o logotipo das equipes participantes do campeonato. Por quê? Porque todos gostam de fazer negócios com vencedores.

Por que medalhistas olímpicos e jogadores de times vitoriosos são chamados para estrelar comerciais? Não seria mais barato convidar atletas amadores ou semiprofissionais? Escolhe-se o familiar por causa do valor de reconhecimento e pelo fato de que todos apreciam negociar com pessoas vitoriosas.

Digamos que você atropele acidentalmente alguém e a pessoa acabe morrendo. Quem você gostaria que o representasse no tribunal? O melhor advogado criminal do país, vencedor de mais de 100 causas, ou um estudante de Direito, confiante no trabalho, mas que jamais ganhou uma causa? Com certeza sua preferência seria pelo advogado.

Um dos lendários vencedores no esporte, Vince Lombardi, ex-técnico do time de futebol americano Green Bay Packers, disse: "Ganhar não é tudo – é só o que importa."

Sua afirmação foi muito criticada. Diziam que ele dava muita importância à vitória, que deveria privilegiar a esportividade. Alguns dos seus críticos formaram um novo tipo de liga infantil de beisebol no Texas. Tudo era como na liga original – a bola, o bastão, o campo e o número de divisões do tempo –, porém os pontos não eram marcados. A idéia era terminar o jogo sem perdedores, pois ninguém saberia quem era o vencedor. Durou metade de uma partida. Os garotos foram jogar num terreno baldio, onde podiam registrar o placar. Vencer é importante!

Hoje em dia se fala muito sobre justiça. Tudo deve ser justo. E há quem pense que justiça e igualdade são a mesma coisa. Os vencedores têm outra filosofia, que pode ser resumida desta forma: "Todos nascem com chances iguais de se tornar inteiramente diferentes."

Vince Lombardi disse ainda: "O objetivo é vencer de forma justa, pelas regras, mas vencer." Um dos seus maiores jogadores, Henry Jordan, tornou-se um vendedor fenomenal. Uma vez lhe perguntaram por que gostava de vender. Sua resposta foi: "Por causa da competição." Ele explicou que, sempre que um vendedor conhece um cliente em potencial, uma venda é realizada: ou o cliente compra o produto ou o vendedor compra a desculpa do cliente.

Também é de Vince Lombardi a seguinte frase: "Não se vence de vez em quando. Não se vence por acidente. Vencer é um hábito, assim como perder."

Veja a seguir sete características dos vencedores.

1. *Os vencedores estão preparados.* Estão prontos para jogar. Eles não comparecem a compromissos de vendas sem o formulário de pedido. Nunca se apresentam sem um plano de jogo.

Na época em que foi técnico do Washington Redskins, George Allen levou o time à final do campeonato de futebol americano, o Super Bowl. Ele pagou a uma pessoa para que ela ficasse por uma semana na linha de 30 jardas do Los Angeles Coliseum e assim identificasse o ângulo do sol durante toda a partida. Allen queria saber por qual lado do campo lutar no início do jogo. Os vencedores se preparam.

Quanto tempo um time leva para chegar ao Super Bowl? A resposta técnica correta é 24 horas. São 24 jogos de 60 minutos – 4 torneios pré-temporada, 16 jogos na temporada regular e quatro jogos finais. São 24 horas de preparação para cada partida de 60 minutos. Quando se pensa no tempo gasto pelos técnicos, jogadores e treinadores, dentro e fora do campo, seriam milhares de horas de preparação para cada jogo de 60 minutos.

Nos negócios, é comum que nossa dedicação constante a uma atividade elimine o foco essencial na preparação. Se queremos ser vencedores ou formá-los em nossas empresas, devemos nos voltar para essa questão. Temos que definir claramente os CRRs para cada um dos jogadores-chave. Precisamos de tempo para dar a eles a oportunidade de elaborar um plano de jogo, observar a competição e construir uma estratégia antes de enviá-los ao campo.

2. *Os vencedores esperam vencer.* Tiger Woods, o campeão de golfe, conquistou três vezes o Campeonato Amador de Golfe dos

Estados Unidos antes de se tornar profissional. Claro que esperava ganhar. O poder da expectativa era tão forte que o jogador que ele derrotou na terceira competição disse: "Quando me faltavam cinco buracos com nove jogadas, percebi que não ia dar." Tiger Woods se via como vencedor e foi ainda melhor no Circuito Amador de Golfe. E ele manteve essa postura na sua primeira grande vitória em um torneio. Menos de três meses depois, derrotou um veterano por morte súbita. "Minha única expectativa é vencer e sempre espero que a tacada leve a bola para onde eu pretendo que ela vá." Pode ser difícil diferenciar essa autoconfiança de um sentido infundado de superioridade, mas a prova está no desempenho. Os vencedores tencionam ganhar. Sempre.

3. *Os vencedores são específicos e positivos.* Os perdedores costumam ser generalistas e negativos. O negativismo é a antítese de uma atitude vitoriosa. É a força mais destrutiva com que podemos ter contato, pois nos rouba os bons sentimentos que deveríamos nutrir a nosso respeito. É uma força do mal, uma espécie de câncer da mente.

Certa ocasião, eu contava com um jovem colaborador que era encarregado de fazer contatos telefônicos e agendar entrevistas de vendas. Um dia, ele me ligou por volta das 16h30 e eu perguntei:

– Como estão indo as coisas?

– O que você faz para vencer a barreira das secretárias? – ele quis saber.

– Não estou entendendo – respondi.

– Nenhuma delas me deixa marcar entrevistas com os supervisores.

Toda vez que ouço uma generalização negativa, quero ir mais fundo.

– Diga como foi o dia – pedi.

– Dei 20 telefonemas. Catorze supervisores não estavam.

Logo entendi que 70% das secretárias não haviam se recusado a deixá-lo falar com os supervisores. Aquelas pessoas simplesmente não estavam em suas empresas.

– Fale dos outros seis – prossegui.

– Consegui marcar duas reuniões e duas pessoas vão ligar de volta.

– E as outras duas? – insisti.

– Uma teve que sair no meio da conversa e a outra, bem, a secretária dela...

Viu o que o vendedor fez? Um dos telefonemas deu errado e ele criou uma generalização negativa sobre todo o dia de trabalho. Quando você descrever uma situação desfavorável, seja sempre muito específico e não deixe que uma visão geral destrutiva roube sua atitude mental positiva.

Os vencedores vêem seus copos como meio cheios, e não meio vazios. Eles visualizam a oportunidade, enquanto os perdedores só identificam os problemas. Já falamos a respeito disso. Se você tem colaboradores que sempre olham para a metade vazia do copo, pense em mudar a atuação deles e corrigir a atitude negativa.

4. *Os vencedores aceitam a responsabilidade pessoal por suas ações.* Eles dizem "eu", "meu" e "nosso". Os perdedores dizem "eles", "deles", "aquelas pessoas" e "a gerência" – usam a linguagem do não-comprometimento.

Uma vez perguntei a um gerente:

– Vocês têm problemas na empresa?

– Temos dois – ele respondeu.

– Qual é o primeiro? – eu quis saber.

– A gerência não se importa – ele disse, dando uma banana com o braço.

– Qual é o segundo? – indaguei.

– Os colaboradores também não se importam – ele respondeu, com outra banana.

– Posso fazer mais uma pergunta?

Ele concordou com a cabeça.

– Em que grupo você se encaixa?

Ele me olhou espantado e disse:

– Nunca pensei nesses termos.

Era um caso agudo de "cotovelo de perdedor", que é como a lesão "cotovelo de tenista", problema que acomete jogadores de tênis quando exageram no esforço ou quando não atingem a bola da forma adequada.

O cotovelo de perdedor se manifesta com mais freqüência em reuniões de gerentes e vendedores. Por exemplo, o supervisor pergunta por que o relatório não está pronto e alguém diz: "Maria não terminou." O cotovelo estala. Depois ele quer saber por que ela não concluiu a tarefa e alguém explica: "O técnico do computador não religou a rede." O cotovelo volta a estalar. Podemos dizer que hoje em dia o técnico do computador leva a culpa por quase todos os relatórios atrasados do mundo.

Outra palavra popular entre os perdedores é *economia*. Quando o chefe pergunta sobre as vendas do mês anterior, o cotovelo estala no momento em que alguém responde: "Bem, você sabe como está a economia."

Inflação é outra palavra conhecida dos perdedores. Ela é a soma de todos os aumentos de preços. Geralmente afeta nossos ganhos e nossas despesas, e a diferença líquida é zero. É isso mesmo. Ainda assim, os políticos querem que acreditemos que a inflação é a causa dos nossos problemas econômicos. O cotovelo deles também estala.

Na linguagem do não-comprometimento, a palavra *computador* também é importante. Já ouviu falar de cargas que não tenham sido liberadas por culpa do computador? Como se o computador fosse o responsável por fazer o pedido, ir ao depósito e jogar uma caixa num caminhão. Se essas máquinas fossem realmente as causadoras da metade dos problemas pelos quais levam a culpa, as empresas deixariam de comprá-las.

Há ainda a linguagem do não-comprometimento que envolve nomes de lugares. Você já deve ter ouvido uma recepcionista dizer solenemente algo como "São Paulo na linha". Isso corresponderia a uma audioconferência com quase 11 milhões de pessoas.

Também existe o caso do colaborador que pergunta sobre o aumento prometido e lhe dizem que "Porto Alegre votou contra seu nome". E ele nem sabia que estava participando de uma eleição.

O problema com o cotovelo de perdedor é que o braço permanece na posição de perdedor, e isso faz com que a pessoa tenha dificuldade em passar pelas portas, mesmo que elas estejam abertas. Por exemplo, alguém diz:

– Você fez um ótimo trabalho neste projeto.

A pessoa responde:

– Na verdade, não fiz, mas amanhã você vai ver.

Os vencedores aceitam a responsabilidade pessoal, estejam eles ganhando ou perdendo.

A história de José e Marta ilustra como se aceita a responsabilidade por meio da linguagem do comprometimento.

José e Marta se encontram na ida para o mercado.

– Bom dia, Marta! – cumprimenta José.

– Eu não devia estar falando com você – ela responde.

– Por que não? – pergunta José, magoado.

– José, estamos só nós dois aqui, não há ninguém em volta. Se eu me mostrar gentil, você pode tentar me roubar um beijo.

– Marta, como eu poderia fazer isso? – ele pergunta, surpreso, mas com um certo brilho no olhar. – Sou um comerciante a caminho do mercado. De um lado, carrego um porco vivo debaixo do braço e uma cesta na mão. Do outro lado, tenho um melão debaixo do braço e uma galinha na mão. Mesmo que eu quisesse fazer isso, correria o risco de perder todo o meu estoque.

– Não, José – diz Marta sem hesitar. – Você poderia colocar o porco no chão e a cesta emborcada sobre ele. Depois, ajeitaria o melão em cima da cesta e me daria a galinha para segurar.

Marta era uma vencedora e estava disposta a se responsabilizar por suas ações. Ela não usou a linguagem do não-comprometimento.

Comece hoje mesmo a acabar com esse problema na sua empresa. Quando você estiver numa reunião ou numa conversa particular e alguém usar a linguagem do não-comprometimento dizendo "Não sou responsável" ou "Isso é tarefa de fulano", explique o conceito do cotovelo de perdedor. As pessoas vão começar a compreender esse princípio que leva à vitória no Jogo do Trabalho. Nós, como treinadores, temos a responsabilidade de estabelecer o clima que desejamos ver em termos de emoção e atitude na nossa equipe, na nossa organização ou no nosso negócio – e não deve existir lugar para o cotovelo de perdedor.

5. *Os vencedores não procuram mudar as regras*. Eles querem apenas entendê-las o suficiente para ganhar.

Nos Jogos Olímpicos de 1996, em Atlanta, a equipe feminina americana de ginástica estava quase conquistando a medalha de ouro quando Kerri Strug, a última atleta a se apresentar, sofreu uma grave torção no tornozelo em um dos seus saltos sobre a barra. Foi realmente um azar. A um passo da medalha, faltando apenas mais uma prova para vencer as russas, Kerri não conseguia mais ficar de pé.

Àquela altura da competição, que estava sendo vista por bilhões de espectadores em todo o mundo, Bela Karolyi, o técnico da equipe americana, disse ao treinador russo: "Tudo bem, nossa garota está machucada. Vamos considerar o que ela fez ontem, quando estava com os dois tornozelos ilesos. A competição tem que ser justa." Você se lembra disso? Claro que não. Não é assim que os vencedores se comportam. Na verdade, Karolyi disse à sua atleta: "Vamos lá, Kerri, você consegue. Foi treinada para isso."

Kerri se levantou e voltou para o início da pista. Tinha apenas

75 segundos para completar o movimento. Ela voltou a olhar para o treinador e correu. Lançou-se no ar, rodopiou e conseguiu se equilibrar nos dois pés ao descer, mesmo morrendo de dor. Kerri Strug sabia que as regras não mudam: somos julgados pelo desempenho.

Pense nas pessoas que tentam mudar as regras. Elas querem tanto tornar as coisas justas e iguais que nunca entram no jogo real, que podem vencer.

Sempre haverá líderes e seguidores, vencedores e perdedores, pessoas que contribuem para o crescimento e pessoas destrutivas. Muitas coisas precisam ser modificadas, porém os vencedores não alteram as regras com a partida em andamento. Procuram apenas compreendê-las o suficiente para ganhar.

Na época em que era presidente da Câmara Americana de Comércio, Jay Van Andel, um dos fundadores da Amway Corporation, disse num discurso: "Não será parando o trem que faremos com que o último vagão chegue antes do primeiro." Certamente precisamos procurar mudar e melhorar, no entanto muitas pessoas querem modificar as regras para obter um atalho fácil e receber os benefícios dos vencedores sem ter que jogar.

6. *Os vencedores pagam o preço de boa vontade porque sabem que é barato.* Quantas vezes você já ouviu alguém dizer que quem deseja vencer tem que pagar o preço? E as pessoas afirmam isso como se tivessem acabado de ganhar um prêmio: "Sem sacrifício, não há resultado", "Dê mais 10 voltas", "Não pare quando as bolhas surgirem", "Vai doer, mas compensará".

Os perdedores também pagam um preço – a diferença é que os vencedores fazem isso *de boa vontade.*

Eric Heiden é um vencedor de verdade. Ganhou cinco medalhas de ouro em Lake Placid pela melhor apresentação individual nos Jogos Olímpicos de Inverno de Wisconsin, em 1980. Ele começava os treinos com uma partida de futebol, depois corria pelos 289 degraus da rampa de esqui e ainda patinava a temperaturas abaixo de zero com a roupa leve de corrida.

Mas Eric não treinava ao ar livre o tempo todo. Ele tinha à sua disposição uma sala equipada com uma plataforma de aço inoxidável de 2m de largura. Em seu treinamento para os Jogos Olímpicos, ele se exercitava nesse equipamento durante quatro horas seguidas, todos os dias, semana após semana, ano após ano. Isso era mostrado na televisão. Que tipo de expressão você imagina que Eric tinha no rosto?

Não havia agonia, dor nem decepção. Apenas um sorriso, a expressão de um vencedor. E, atrás da câmera, Eric via uma grande foto das medalhas de ouro que iria receber. Os vencedores pagam o preço de boa vontade porque sabem que é barato. Quando a pessoa se concentra no resultado final, os obstáculos se diluem no ritmo intenso da preparação.

Quanto mais o treinador se torna habilidoso em pintar quadros vivos dos resultados ou dos benefícios finais, mais os vencedores se dispõem a pagar o preço. Inserir "Por quê?" na comunicação faz com que os jogadores passem a exibir desempenhos incríveis.

7. *Os vencedores estabelecem metas.* Vencer e fixar metas são sinônimos. Só ganha quem sabe o significado da vitória. Há muitos perdedores que dão tanto duro quanto os vencedores, mas que não sabem quando parar e comemorar. O mais importante, porém, é que os vencedores definem metas.

Tiger Woods apareceu no mundo do golfe em meados da década de 1990. Um furacão como ele não passava pelos campos havia 30 anos. Primeiro colocado em três edições do Campeonato Amador de Golfe dos Estados Unidos, foi um "vencedor" desde a tacada inicial. Ele se contentou com isso? Não. Praticamente desde que nasceu, Woods teve metas estabelecidas. Ele as aceitou, abraçou e absorveu. Aos 11 meses de idade, já imitava o movimento do corpo do pai quando o via dar tacadas em bolas de golfe. Aos dois anos, apareceu no programa de televisão de Mike Douglas dando suas próprias tacadas. Colecionava recortes sobre o célebre Jack Nicklaus e sobre outros jogadores que ele imitava e que depois superou já em sua primeira temporada como profissional. Poucos atletas antes dele ganharam as principais competições que disputaram como profissionais desse esporte. E, depois de Tiger Woods, ninguém repetiu esse feito. Como ele conseguiu? "Metas incrivelmente grandes era o que ele tinha. E é só assim que podemos realizar grandes coisas", foi o que disse um dos participantes do histórico Masters de 1997 que se viram competindo pelo segundo lugar e aplaudindo a vitória de Tiger no buraco 18. Será que ele seria capaz de vencer em uma única temporada o Grand Slam, o Masters, o U.S. Open, o British Open e o PGA? Sua resposta era "Em tese, sim!". E quem teria coragem de duvidar de que seria possível também no seu coração? Os vencedores estabelecem metas e as atingem.

A ascensão e a queda de todas as empresas estão baseadas na habilidade que as pessoas têm de fixar e alcançar metas, como fazem os vencedores. Determinar metas claras nos dá mais motivação para agir do que estarmos sob a mira de um revólver ou diante da tentação de milhares de reais.

Aos 17 anos, Dorothy Hamill ganhou a medalha de ouro nos Jogos Olímpicos de Inverno de Innsbruck, na Áustria, em 1976, e venceu campeonatos mundiais de patinação no gelo. Depois disso, conseguiu um lucrativo contrato de publicidade com a Clairol, fabricante de produtos para o cabelo. Ela estabeleceu sua meta aos seis anos. Levantava-se às 5h e praticava por duas horas antes de ir para a escola, onde mantinha médias altas. Depois das aulas, treinava por mais duas horas, todos os dias, semana após semana, ano após ano, por 11 anos, até atingir seu objetivo. Estabelecer metas é a mais poderosa força motivacional do mundo.

Mas você não precisa ser atleta olímpico nem jogador profissional de futebol para estabelecer metas. Também não é necessário que comece ainda criança.

Em sua biografia, o coronel Harland Sanders, o fundador da Kentucky Fried Chicken (KFC), conta que, durante a Depressão, em 1929, planejou o seqüestro do filho de um vizinho rico para pedir resgate e comprar comida. Ele faliu quatro vezes. Começou a fritar frango no restaurante da mulher porque não conseguiu fazer isso no ramo da hotelaria.

O coronel preparou o primeiro pedaço de galinha no número 3.900 da South Lake Street, em Salt Lake City, aos 65 anos. Viajou por algumas semanas e, quando voltou, o lugar estava uma loucura. Todos queriam aquele prato. Aos 72 anos, vendeu a empresa para Johnny Y. Brown Jr., que fora governador do estado de Kentucky. Com essa operação, recebeu 2 milhões de dólares, mais 250 mil dólares por ano em contratos de publicidade.

Quando estava com 88 anos, perguntaram-lhe se ainda tinha metas. Ele declarou três. Em primeiro lugar, gostaria de viver mais 12 anos e se tornar centenário. Depois, queria tirar dois anos de férias aos 100 anos porque desde que fritara o primeiro pedaço de frango jamais parara de trabalhar. Por fim, desejava ter outra idéia que causasse um grande impacto na vida americana. Levado pela leucemia aos 90 anos, ele jamais alcançou as últimas metas. Ainda assim, estabelecer objetivos é a maior força de motivação para o ser humano.

Pouco mais de 3% dos americanos são considerados financeiramente independentes. Você tem idéia de qual é o patrimônio líquido mínimo necessário para fazer parte dessa categoria? Talvez 1 milhão de dólares.

Segundo *O milionário mora ao lado*, de Thomas Stanley e William Danko, de 1996, cerca de 3% dos lares americanos têm patrimônio líquido superior a 1 milhão de dólares, além de uma renda média anual de mais de 135 mil dólares.

Dez por cento dos lares apresentam um patrimônio líquido na faixa de 350 mil a 1 milhão de dólares. Sua renda anual fica entre 80 mil e 120 mil dólares. A situação financeira dessas pessoas é considerada confortável.

Sessenta por cento das pessoas mal sobrevivem. Seus ganhos se destinam basicamente a cobrir as despesas com a casa e, quase sempre, elas precisam se valer de algum sistema de pagamento a crédito.

Vinte e sete por cento das pessoas necessitam de ajuda externa para sobreviver. Esse auxílio varia de acordo com as políticas adotadas pelo governo federal norte-americano.

Em sua opinião, o que distingue os dois primeiros grupos dos dois últimos, uma vez que todas as pessoas querem estar nas posições mais altas? Os dois primeiros têm metas, ao contrário dos outros (se as possuem, são poucas). Na média, o grupo dos 3% se dá melhor do que o dos 10% na proporção de 50 para um. O patrimônio líquido médio do grupo dos 3% é muitas vezes superior ao do grupo dos 10%. Não há diferença demográfica entre ambos (nada significativo em relação a itens como idade, raça, religião, educação, sexo e riqueza dos pais).

A grande diferença é que as pessoas do grupo dos 3% prepararam suas metas por escrito, com planos específicos para atingi-las. Não há muitos indivíduos dispostos a fazer isso.

Por que as pessoas não gostam de estabelecer metas, de escrevê-las? Em alguns casos, elas não medem o desempenho talvez por medo de falhar. Em outros, por preguiça. Mas veja o que estão perdendo. Os ricos vivem mais e melhor, além de parecerem mais felizes. E, ao contrário do que se diz, os integrantes desse grupo se divorciam menos.

Franklin D. Roosevelt planejou ser presidente dos Estados Unidos 20 anos antes de ser eleito. Os maiores e mais belos edifícios, aviões e pontes do mundo são primeiramente criados em detalhes na prancheta antes que se dê qualquer passo para sua construção. Escrever as metas nos faz transferir os sonhos para um plano específico e isso nos permite entregá-los a outras pessoas que possam trabalhar na sua execução. As metas escritas não são opiniões, fantasias nem desejos. São o passo-chave que transforma sonhos em realidade. Fazem a diferença entre perder e ganhar.

Devemos ser os arquitetos da nossa vida. Por que procuramos um arquiteto quando queremos construir a casa dos nossos sonhos? O que nos leva a destinar a esse profissional uma boa quantia que poderíamos gastar na compra de uma série de produtos? Fazemos isso porque ele capta as idéias confusas na nossa mente e as transforma em uma planta para que outras pessoas possam executar o trabalho. Faz sentido pensar que, se essa habilidade é importante na construção da casa na qual vamos investir muitos anos de salário, ela também é essencial no modo como passaremos o resto da nossa vida.

CAPÍTULO 8

Atitudes de vencedores

"Se você quer ser um caçador de patos bem-sucedido, deve ir aonde os patos estão."

– Paul "Urso" Bryant

Em 1978, quando estava começando a ver os muitos pontos em comum entre o esporte e o trabalho, decidi entrevistar alguns vencedores de verdade. Telefonei para Paul "Urso" Bryant, na época técnico de futebol americano da Universidade do Alabama, hoje falecido.

"O Urso" era uma lenda viva. Ele ainda trabalhava graças a uma exceção aberta na lei do Alabama em 1982 que lhe permitiu manter-se em atividade apesar de já ter 70 anos. O adendo dizia que Bryant poderia continuar prestando serviços para aquele estado pelo tempo que desejasse. Isso dá a medida da admiração que tinham por ele.

Perguntei-lhe se era um vencedor. Ele resmungou: "Ganhei 307 partidas de futebol. Venci 88,7% de todos os jogos em que atuei como técnico."

Entendi a mensagem. Ele foi específico. Agradeci e desliguei.

Depois, telefonei para o técnico de futebol americano de uma importante universidade e fiz a mesma pergunta.

Ele disse:

– Chuck, você precisa entender.

Logo notei que havia um problema.

– Eu tenho o sétimo menor orçamento entre todas as equipes da liga esportiva local. Se terminarmos o campeonato em torno do sétimo lugar, não será ruim.

Pensei que ele não tinha me ouvido bem e repeti a pergunta:

– Você é um vencedor?

– Chuck, compreenda que nesta cidade o futebol não recebe um apoio tão grande quanto no âmbito nacional.

Dei-lhe mais uma chance:

– Você é um vencedor?

– Você não imagina como é difícil encontrar garotos de outros estados que queiram jogar aqui!

A conversa me lembrou uma loja de roupas para a qual prestei consultoria. Perguntei ao presidente da empresa qual era a ação mais importante que ele gostaria que executássemos.

– Queria que parassem com o boletim meteorológico.

Não entendi o que ele estava dizendo e pedi que repetisse.

– Tenho oito lojas e, sempre que telefono para saber como estão as vendas, os gerentes me dão a previsão do tempo. Se pergunto se todos foram trabalhar, eles dizem que está nevando e que as pessoas não conseguiram chegar. Ou que os clientes ficaram em casa por causa da chuva. Parem com o boletim meteorológico!

O desejo do presidente da empresa era que os gerentes prestassem atenção nas metas e no registro de índices em vez de darem desculpas pelo mau desempenho. Ele queria dados precisos, e não generalidades. Os vencedores são específicos.

Os vencedores lidam com as probabilidades

Certa vez, um repórter conhecido por ser simpático a causas em favor dos fracos e oprimidos estava entrevistando um notório ladrão de bancos chamado Willie Sutton. Sua intenção era conhecer um pouco mais da mente do criminoso para entender melhor seu comportamento.

– Willie, por que você rouba bancos? – perguntou ingenuamente o jornalista.

– Porque é lá que está o dinheiro – ele respondeu.

Como Willie, os vencedores compreendem as probabilidades e vão aonde o dinheiro está. Entendem o Princípio de Pareto. O economista italiano Vilfredo Pareto (1848-1923) estudou tributos e impostos e concluiu que 80% da riqueza está nas mãos de 20% da população. Ignoro o que essa descoberta fez pelo Sr. Pareto, mas sei que o assunto é importante nos círculos de negócios. Conhecemos isso como o Princípio 80-20, segundo o qual 80% dos resultados que obtemos vêm de 20% das causas.

Certa vez, prestei consultoria a uma empresa de publicidade líder de mercado. Entre seus colaboradores havia um vendedor com sete anos de casa que já passara da meia-idade. Era o tipo de pessoa difícil de se motivar, pois já conseguira quase todos os bens materiais que desejava. Quarto melhor vendedor, ele era um profissional bom e confiável, um pilar da companhia.

Quando começamos a nos reunir, ele sempre dizia que estava extremamente ocupado para o meu jogo de determinação de metas. Tinha tarefas demais a cumprir, pessoas a visitar – vivia numa agitação constante. As metas não iam funcionar com ele porque eu não compreendia seu negócio nem o mercado.

Era um profissional muito ativo, trabalhava duro. Tinha um plano: sair e trabalhar para valer, procurar vender muito, tentar conquistar novas contas, captar negócios extras e atingir as metas. Ele sabia que era bom, afinal as comissões demonstravam isso. Esse vendedor era típico – típico demais.

Eu lhe falei sobre o Princípio 80-20 – que 20% das suas contas produziam 80% dos seus negócios. Ele insistiu que eu não entendia do assunto.

Pedi que considerasse o investimento que a empresa fizera nos meus serviços e que tentasse meu método apenas uma vez. Disse-lhe que pegasse os registros de vendas do ano anterior e calculasse quanto do seu negócio vinha de cada cliente, classificando-os pelos valores que recebera.

Apesar de relutante, ele concordou. Uma semana depois, voltou com um ar satisfeito, como se tivesse provado alguma coisa a alguém.

– Você disse que 20% das minhas contas responderiam por 80% do meu volume de negócios – afirmou.

– Sim.

– Você estava errado – ele retrucou, embora eu percebesse naquele olhar desafiador que ele também podia ter aprendido alguma coisa.

– Fiquei longe? – perguntei.

– De 104 contas, as 19 principais geraram 83% dos negócios – ele contou, rindo, como as outras pessoas na sala. – Saiba também que outras seis contas produziram os próximos 13% dos resultados e que 25 das 104 contas responderam por 96% de todo o meu volume de vendas no ano passado.

– Como você se sente? – perguntei.

– Maravilhosamente envergonhado.

– O que vai fazer agora?

– Vou pegar as 40 contas que apresentaram os menores resultados e deixá-las na mesa do gerente com um bilhete dizendo que não mereço trabalhar com elas.

Ele fez isso. Chocado, o gerente redistribuiu imediatamente as contas entre outros colaboradores.

O vendedor disse que ia ser o melhor dos melhores. Montou um esquema para os 90 dias seguintes, organizando contatos com cada cliente em ordem decrescente, da conta maior para a menor. O tempo que gastaria com as 40 contas dispensadas ele usou para identificar novos negócios que pudessem competir em volume com os resultados proporcionados por seus melhores clientes.

Quatro meses depois, esse vendedor me disse que tinha acabado de receber a maior comissão desde sua contratação pela empresa. Como havia conseguido quitar duas hipotecas de diferentes propriedades, ele e a esposa começaram a desfrutar de um estilo de vida que jamais haviam tido. A compreensão do Princípio 80-20 o capacitara a ser o melhor entre os melhores, graças a uma simples técnica de registro de índices.

Ao iniciar meu programa, sua meta era aumentar as vendas em 13%. Noventa dias depois, ele elevou esse percentual para 47%. Em seguida, ultrapassou essa marca e atingiu 55% nos primeiros 12 meses após começar a usar o sistema de medição. Com esse método, conseguiu se motivar sem pressão exterior e realizar o máximo do seu potencial.

Formar os melhores entre os melhores produzirá resultados idênticos na sua equipe. O mercado define seu desempenho. O importante é tornar o forte mais forte.

Quando se trata de vendas industriais, é possível fazer uma aplicação segura, embora agressiva, do Princípio 80-20. Se a base de clientes for constante, é provável que isso gere resultados de grande impacto.

Em primeiro lugar, identifique os 20% das contas que correspondem a 80% do negócio e estabeleça a meta de 25% de aumento nesse grupo. Se alcançado, esse acréscimo substituirá os ganhos gerados pelos 80% restantes das contas. Qualquer operação proveniente dos outros 80% será algo a mais.

Em segundo lugar, defina os próximos 40% das contas, que tradicionalmente respondem por cerca de 16% do negócio, e estabeleça como meta dobrar os resultados delas. É um plano sensato e lógico que dá a oportunidade de elevar as vendas em 32% e ainda gerar contas extras, que podem ser redistribuídas entre vendedores jovens e agressivos.

Tive muito sucesso e me diverti ensinando empresas a lidar com as contas que sobravam. Estabelecemos um sistema parecido com o processo de recrutamento de jogadores realizado pela NFL. A posição de um time no recrutamento tem relação inversamente proporcional ao seu sucesso na última temporada. Assim, cabe à equipe com o menor índice de vitórias fazer a primeira escolha em cada rodada, enquanto o campeão do Super Bowl escolhe por último. Seguindo esse esquema, determinamos que o vendedor com a produção mais baixa é o primeiro a escolher uma das contas, o vendedor com o segundo pior desempenho faz a segunda escolha, e assim por diante. Terminada a distribuição, eles têm 30 dias para apresentar ao gerente um plano de ação por escrito para cada nova conta. No fim do processo, qualquer conta que tenha sobrado torna-se da casa ou vai para o programa de telemarketing.

Em geral, é necessário estabelecer uma distinção entre os tipos de produtividade analisados. O estoque, por exemplo, pode ser subdividido em itens diferentes ou grupos de itens com taxas de renovação variáveis. Novamente cabe a aplicação do Princípio 80-20. Muitas vezes, 20% dos itens em estoque correspondem a 80% do volume de vendas.

Há alguns anos ajudei um distribuidor de tintas a controlar o estoque. Pedi que me dissesse como era feita a discriminação de cada produto em seu negócio. Ele respondeu que não precisava fazer isso porque havia estabelecido a meta de ter tudo em estoque o tempo todo – e ela era tão enfatizada que não havia necessidade de verificação.

Por fim, depois de muita discussão, ele concordou em gastar o correspondente a 10 dólares do tempo de um balconista para medir a verdadeira capacidade que a empresa apresentava de ter o produto desejado sempre disponível. Na primeira semana, no auge da temporada de vendas, descobrimos que 17% dos pedidos não seriam entregues por falta de estoque. O empresário ficou atônito: "Isso não é normal. Deve ter sido uma semana fora dos padrões."

Na segunda semana, o fato se repetiu com relação a 16% dos pedidos. Ele começou a me ouvir e concordou em darmos prosseguimento à verificação até conseguirmos os resultados desejados.

Em dois meses e meio, a taxa de pedidos não entregues caiu para 6%. Mas não estávamos satisfeitos. O estoque era grande demais e havia uma questão a respeito do valor das medições que vínhamos realizando.

Reconhecemos o Princípio 80-20 e concordamos que deveria haver uma diferenciação entre os diversos itens do estoque e que daríamos mais atenção àqueles que apresentassem os maiores problemas. Dividimos o estoque em três grupos. Exatos 20% ficaram no grupo A, que respondia por 78% das vendas totais. A gerência decidiu que jamais deixaria de ter esses itens em estoque. Esse grupo foi acompanhado separadamente.

O grupo B consistia em 40% dos itens responsáveis por 17% das vendas. Decidimos que seriam mantidos em estoque, embora não fossem imprescindíveis para o sucesso da empresa. Muitos deles eram os mesmos produtos do grupo A, porém em embalagens de tamanhos diferentes. Outros eram tintas de um tom distinto das do grupo A que poderiam ser substituídas com facilidade caso estivessem em falta. Determinamos que a empresa poderia correr um risco mais alto de ficar sem os itens do grupo B.

As mercadorias do grupo C, os 40% restantes do estoque, correspondiam a menos de 5% das vendas totais. O empresário ficou impressionado por ter tanto dinheiro empatado nesses artigos. Era óbvio que a empresa poderia aceitar um risco maior de não ter esses produtos à mão; afinal eles representavam muito pouco. Concluímos que, em relação à maioria deles, seria mais compensador pagar o frete aéreo do que ter tanto capital aplicado no estoque.

Estabelecemos critérios para cada nível do estoque, medindo a quantidade disponível por semana. No caso do grupo A, decidimos que, no auge da estação, tentaríamos manter um suprimento para oito semanas. No grupo B, teríamos o suficiente para duas semanas, estabelecendo uma média de seis semanas para todo o estoque. No grupo C, optamos por não contar com nenhum nível de segurança – haveria apenas um item na prateleira e repetiríamos o pedido quando o produto fosse vendido.

Começamos a aumentar os pedidos dos itens do grupo A, para chegarmos ao nível de oito semanas, e reduzimos as encomendas para os outros dois grupos. No fim da temporada de maior movimento, tínhamos reduzido o estoque de 290 mil para 165 mil dólares e depositamos 115 mil dólares do capital operacional precedente, além de atingirmos o recorde em termos de satisfação dos clientes – 93%. Medindo, podemos não só comer o bolo como também guardá-lo.

Nos negócios, muitas vezes ouvimos o que meu pai, um comerciante, costumava dizer: "Não devemos ignorar nenhum cliente. Todos eles são importantes." Embora isso seja verdade, existem tantos casos de aplicação do Princípio 80-20, e com tão bons resultados, que não podemos deixá-lo de lado.

Se você vai caçar patos, deve ir aonde os patos estão. Caso pretenda matar gigantes, deve ficar no pé de feijão, e não na plantação de ervilhas. Depois de assessorar centenas de empresários, afirmo que o Princípio 80-20 pode ser aplicado em todos os tipos de negócios.

Os perdedores recusam-se a admitir os fatos e, por isso, fracassam. Os vencedores, no entanto, encaram o que está acontecendo de verdade – eles rastreiam a realidade. Essa atitude vencedora lhes dá o conhecimento de que precisam para alcançar o sucesso.

CAPÍTULO 9

Coeficiente de resultados por recursos

"Se vencer não é importante, por que gastamos tanto dinheiro com cartões de pontuação?"

– Chuck Coonradt

Nos negócios, um dos mais eficazes recursos de medição é o retorno do investimento, que pode ser expresso de diversas maneiras: ativos, capital líquido, lucro líquido, capital líquido investido ou ativos líquidos. O retorno do investimento mede o lucro total que pode ser obtido com certos ativos, como estoque, pessoas, dinheiro, propriedades ou equipamentos. Agimos bem em usar essa medição em todos os níveis da empresa. Nós sempre a vemos no relatório anual, às vezes até trimestralmente; porém, é raro que apareça numa freqüência menor do que essa.

Há um ponto em comum entre a diversão e os esportes. Podemos usar a expressão *coeficiente de resultados por recursos.* No beisebol, por exemplo, há diversos CRRs. Campeonatos de rebatidas são decididos pela média, a relação entre o número de rebatidas (recursos) e o número de acertos (resultados). O CRR de um líder da Liga será de 300, talvez acima de 375. O maior rebatedor na história, com essa marca, foi Ted Williams, que rebateu 406 bolas em uma temporada. A média de rebatidas é um CRR.

Os CRRs são igualmente essenciais para gerenciar um negócio com eficiência. Eles representam a relação-chave entre os acionistas e a equipe administrativa. Por que são necessários? Por que não são utilizados por um número maior de empresas?

Por dois motivos. Um deles é não termos compreendido a importância óbvia que os CRRs têm para os negócios. O outro é jamais termos definido o modo fundamental de combiná-los. Os gerentes se sentem impedidos ou intimidados pelo processo. Vamos então estabelecer o método ideal de construção dos CRRs.

Divida uma folha de papel com uma linha vertical, como no diagrama da página seguinte. De um lado, escreva "Recursos"; do outro, "Resultados". Neste exemplo, usaremos a figura de um controller de uma empresa média que tem uma equipe responsável pelos relatórios de contabilidade, folha de pagamento, contas a pagar e a receber, etc. Seria mais fácil se optássemos pela função de um vendedor, de um distribuidor de correspondência ou de um torneiro mecânico. No entanto, se conseguirmos aplicar esse método ao trabalho de um controller, seremos capazes de empregá-lo em qualquer outro tipo de atividade profissional.

Podemos nos perguntar quais são os recursos. Algumas palavras vêm facilmente: tempo, membros da equipe, equipamentos, know-how, computadores, etc. O controller dispõe ainda de outro recurso: o espaço ocupado pelos funcionários da administração, que não pode ser destinado às vendas, à produção nem ao setor envolvido na produtividade do negócio.

Coeficiente de resultados por recursos

Recursos	Resultados
Tempo: Horas Minutos	

Devemos nos perguntar: como medir os elementos? Pelo tempo. Mas de que maneira?

O mais fácil, claro, é mensurá-los em horas e minutos. Assim, escrevemos o tempo que o controller tem disponível – 40 ou 48 horas por semana. Num pé de página, anotamos o tempo que ele se considera produtivo, aquele que ele realmente tem para gerenciar. (Se você estiver medindo os recursos de tempo de um empresário, pode adotar as horas que ele passa longe da família.)

Agora vamos ao tempo dos colaboradores. Há pelo menos duas maneiras de medi-lo. Uma delas são as horas de trabalho. Podemos anotar o tempo total de pessoa/hora em um departamento, baseados numa semana de 40 horas, 4,3 semanas em um mês, ou multiplicar 172 horas pelo número de pessoas da equipe. Com um departamento de cinco pessoas, teríamos, numa base mensal, mais de 800 horas, além das do controller. A outra forma de mensurar os recursos da equipe é estabelecer o custo do trabalho em reais. Estamos começando a definir o recurso.

Agora, o tempo do equipamento. É possível medi-lo em reais ou em horas. Podemos considerar todo o orçamento, incluindo elementos como pessoa/hora, espaço e tempo em termos de um custo geral para a empresa ou para um departamento específico.

Quando o gerente começa a definir recursos, algo se torna claro: na maioria das empresas, é mais fácil definir recursos do que resultados. Escolher os resultados certos é a essência do gerenciamento eficaz por medição.

Recursos	Resultados
Tempo – 800 pessoas/hora Espaço – 150m^2 Equipamentos – 7 mil reais/mês	

Vamos fazer a mesma abordagem do lado direito do gráfico. Que resultados desejamos do controller? Se considerarmos a descrição do seu trabalho ou o alto nível de conhecimento que ele adquiriu em sua formação, veremos expressões como: fornecer à gerência informações financeiras *precisas*, *completas* e *no prazo certo* para que os negócios sejam conduzidos de forma *lucrativa*.

Vamos agora listar os resultados desejados: precisão, informação completa e pontualidade. Para cada um deles, usamos um método de medição. Na avaliação da precisão, temos que procurar por um fator de erro de porcentagem. Na verificação da pontualidade, precisamos pesquisar a variação entre o prazo prometido para a entrega dos relatórios e o momento em que isso de fato aconteceu. Se estamos avaliando se a informação é completa, podemos usar qualquer um dos dois critérios anteriores.

Recursos	Resultados	
	Pontualidade	Diferença entre as datas normalmente prometidas e as de entrega.
	Precisão	1. Erros por número de itens preparados. 2. Número de vezes que um relatório deve ser feito para ser exato.
	Lucratividade	1. Lucro líquido de toda a empresa. 2. Lucro bruto ou líquido gerado pelos departamentos individualmente.

Agora identificaremos os recursos mais dispendiosos e os resultados de maior valor para ver se é possível combiná-los. No caso desse controller e da sua equipe, podemos concluir, por exemplo, que o elemento humano é o recurso mais caro. Vamos posicioná-lo no lado esquerdo do gráfico e destacá-lo. Passemos então a trabalhar no lado dos resultados. Qual é o resultado de maior valor? Podemos considerar o lucro. Em seguida, elaboramos o coeficiente preliminar de lucro líquido em reais pelo total de horas do departamento. *Lucro líquido em reais pelo total de horas do departamento* – esse é o CRR.

Recursos	Resultados
Pessoal	Pontualidade
Espaço	Precisão
Equipamentos	**Lucratividade**

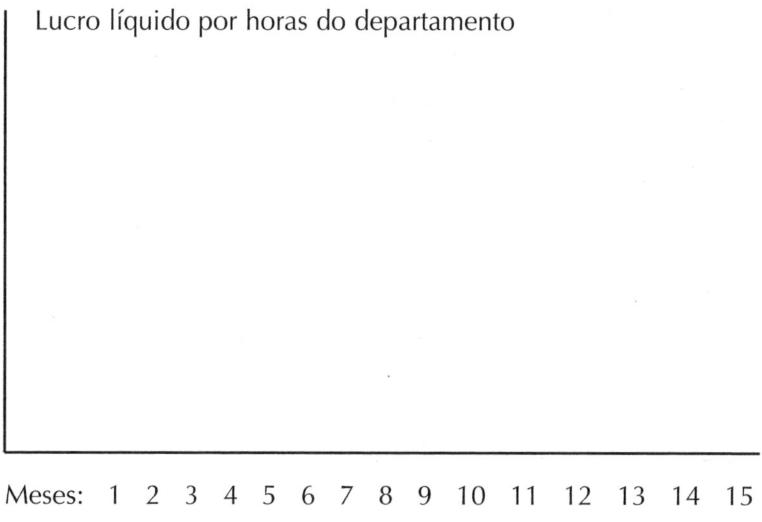

Quando apresentamos um novo CRR, que se torna a medida da produtividade ou do resultado de alguém, é inevitável que surjam algumas perguntas, como: o que ele quer dizer? Mesmo que descobríssemos isso, qual seria o verdadeiro significado desse número? Vale a pena manter esse rastreamento? Nunca fizemos isso antes – quais são as medidas e para que elas servem? Como gerentes, reconhecemos que a prioridade é minimizar a insegurança na equipe.

A novidade costuma gerar resistência. Se conseguirmos fazer a pesquisa e apresentar os dados históricos de uma forma diferente antes de transmitirmos a informação aos jogadores, teremos uma grande oportunidade de explicar a eles o novo método de medição e de reduzir rapidamente seu medo e sua apreensão.

Por exemplo, um dos meus clientes pesquisou e identificou seu lucro líquido por colaborador/hora nos últimos cinco anos. Ele descobriu que, ano a ano, ocorreram mudanças no coeficiente da seguinte magnitude:

Ano	1	2	3	4	5
Aumento de lucro	31%	27%	15%	11%	4%
Aumento de salários	9%	11%	14%	17%	18%
Ganho líquido em produtividade por real pago	22%	16%	1%	(6%)	(14%)

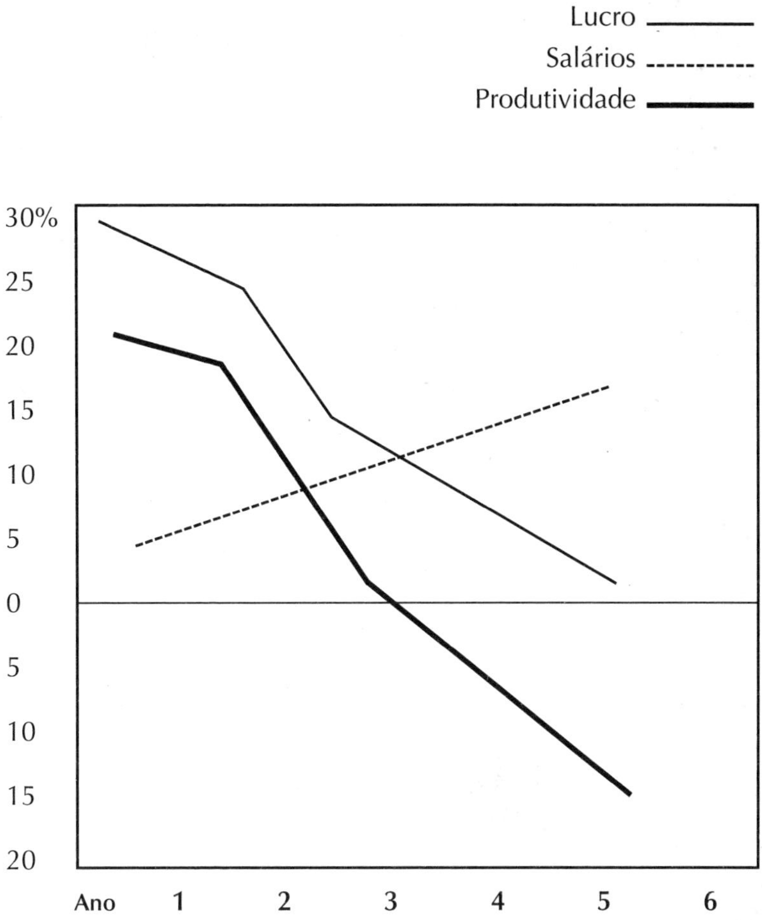

Com essa perspectiva histórica, o presidente solicitou ao gerente do departamento de recursos humanos que providenciasse um plano para o quadro de funcionários que não fosse baseado em opinião, observação nem julgamento, e sim na medição do CRR.

O conceito importante é fazer com que o CRR reflita com precisão a filosofia e as intenções da empresa. Por exemplo, podemos concluir que, em uma organização que está em meio a um típico processo de crescimento, após a compra de computadores e a contratação de pessoal para o departamento de contabilidade, a relação entre as despesas totais desse departamento e as vendas começará a declinar. Os procedimentos se tornarão rotina com a expansão da companhia. Afinal, o aumento do tempo necessário para se processar o dobro de faturas é mínimo – ele não se duplica. Será preciso apenas conseguir um controller assistente. A tendência é dar o cargo a alguém de salário mais baixo. A média por hora deve diminuir com o tempo. Acredito que podemos defender a tese de que o CRR que chamamos de vendas por pessoa da contabilidade/hora crescerá paulatinamente.

Aposto que, se você rastrear uma empresa por 10 anos, descobrirá que, sem a medição por gerência, os custos aumentaram e as vendas por hora da equipe administrativa caíram, apesar da pressão inflacionária para o aumento dos preços.

Se a aquisição do computador se justifica – reduzindo o tempo total de execução de um processo e compensando o próprio custo –, deve haver economia real quando se acrescenta o custo desse novo recurso ao gráfico.

Antes de ser acusado de conservador, quero dizer que não pretendo impor regras à sua empresa. Caso você queira aumentar seus custos administrativos como uma porcentagem das vendas, tem todo o direito de fazer isso. Mas precisa saber o que está acontecendo – se está ganhando ou perdendo. A gerência deve fornecer a funcionários e supervisores uma expectativa realista claramente definida para que saibam se estão lucrando ou tendo prejuízo. Esse é o propósito do CRR.

No conceito do CRR está o *por*. Vendas *por* homem/hora. Pontos *por* jogo. O *por* deflagra a relação entre resultados e recursos.

Todo profissional tem *por*. Cada um dos membros da minha equipe o possui. *Seus colaboradores* também vão querer estabelecê-lo.

Atenção: às vezes, o conceito de medição é visto como punitivo. Assim, deve ser abordado com cuidado e apresentado aos jogadores como um benefício.

Quando os funcionários da área de vendas enfrentam dificuldades, eles têm que ligar para o trabalho com mais freqüência. Se um negócio apresenta problemas financeiros, podemos chamar os auditores, que realizam os cálculos com clareza quantas vezes forem necessárias até que a questão seja resolvida. A partir desse ponto, eles vão embora e levam o sistema de medição. Somos então abandonados com menos feedback do que tínhamos na época do problema. No entanto, apesar de confusos, continuamos a perseguir nosso objetivo até que surja outra adversidade, sabendo que os auditores voltarão.

Como você pode se comprometer com a medição? Vamos falar mais a respeito desse assunto no capítulo sobre motivação, porém alguns níveis de envolvimento podem ser estabelecidos a partir de agora.

Já mencionei a vantagem proporcionada por uma perspectiva histórica. Por exemplo, sobre as contas a receber. É fácil criar uma linha do tempo de 36 meses, mostrando o padrão de dias de contas a receber, como no gráfico da página 128.

Se a informação é produzida e processada pelos jogadores, você lhes ensina a fórmula. À medida que eles recuam cerca de 18 meses e elaboram seus próprios cálculos e gráficos, vão ficando bastante impressionados, mais até do que se esses dados fossem apresentados a eles por outra pessoa. Quando quiser entender algo, faça você mesmo – use suas próprias mãos, esquematize o gráfico, estude. A auto-administração de um programa de medição é a melhor maneira de conseguir que as pessoas se comprometam com o processo.

Há uma alternativa para o caso de você ter um jogador ou colaborador muito resistente ou de estar tentando influenciar colegas de um nível em que a autoridade não esteja claramente definida: recue e construa um gráfico, dividindo a informação com os responsáveis por aquela área. Assim eles entenderão melhor o que você pretende com o treinamento ou com o desafio.

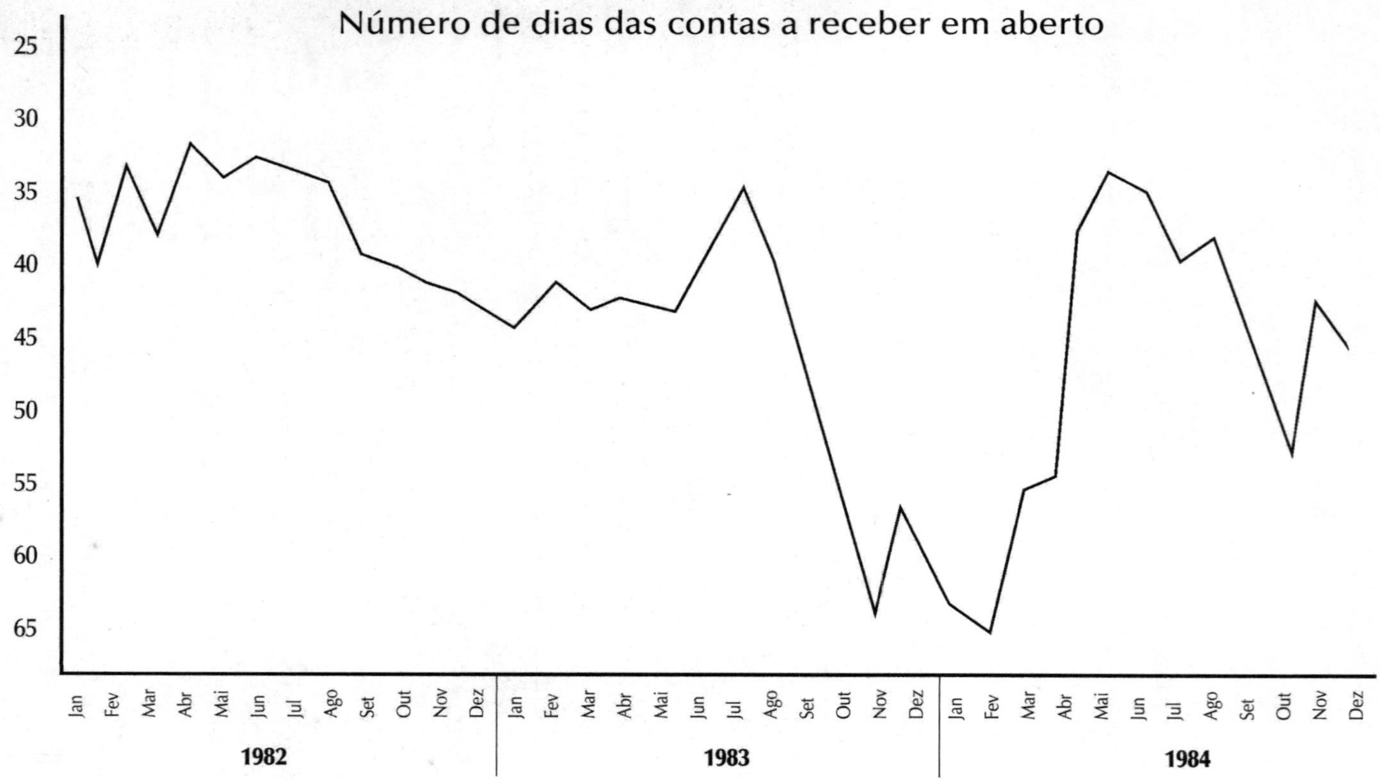
Número de dias das contas a receber em aberto
25
30
35
40
45
50
55
60
65
Jan
Fev
Mar
Abr
Mai
Jun
Jul
Ago
Set
Out
Nov
Dez
1982
1983
1984

Se as pessoas passarem a medir, seja por curiosidade, seja para se divertir no trabalho, você terá alcançado sucesso. *Caso você consiga, por meio da comunicação motivacional, explicar o* porquê *das suas idéias e mostrar como a participação dos colaboradores é importante, obterá um comprometimento da parte deles que se manterá enquanto você o reforçar.* O CRR pode ser "vendido e divulgado".

Um aspecto importante para a efetiva implementação do sistema de medição é o exemplo fornecido pela liderança. Assim, antes de impor a idéia à sua equipe ou simplesmente entregar um exemplar deste livro a alguém, olhe para seu próprio campo de jogo e determine seus CRRs. Faça diversas listas, procure por combinações variadas. Descubra qual é o recurso mais caro e o resultado mais desejado. Alguns exemplos: número de sorrisos por dia, número de transações por colaborador/hora, número de dias de produtos disponíveis no estoque, número de dias úteis de faturas pendentes em contas a receber, média dos dias de depósitos de faturas por mês efetuados na área, número de telefonemas dados entre negócios bem-sucedidos, número de apresentações entre vendas. A lista continua. Seja exigente consigo mesmo e será mais eficaz com seu pessoal. Envolva-se com a idéia e se interesse por ela. Assim descobrirá que pode ser o técnico, o líder e o capitão do time que todos nós desejamos ter na equipe.

Talvez você não consiga executar essas medições da forma perfeita na primeira tentativa. No entanto, se tiver coragem de experimentar e observar de perto seus resultados, será mais capaz de fazer com que os outros também produzam resultados.

CAPÍTULO 10

Escolhendo vencedores

"A liberdade é maior quando os limites são claramente definidos."

– Chuck Coonradt

Todo ano, antes do início do recrutamento dos jogadores da Liga Nacional de Futebol, os times têm uma bela quantidade de dados para estudar, anos de estatísticas universitárias e relatórios de observadores que podem retroceder até a época em que os candidatos estavam no ensino médio. As equipes contam com uma série de avaliações pessoais para validar as informações numéricas.

Nos negócios, a maioria de nós não dispõe desse tipo de informação para escolher vencedores para as equipes. É fácil pagar milhões de dólares a um excepcional jogador de basquete, como Shaquille O'Neal, depois que ele provou ser bom. No entanto, é muito difícil alguém contratar por um alto valor um garoto de 18 anos, recém-saído do ensino médio, esperando que em poucos anos ele se torne uma estrela. Nos negócios, ao contrário, temos que entrevistar e admitir pessoas que praticamente não conhecemos, sabendo que nos cabe descobrir, nutrir e transformar em valor seu potencial oculto. E, muitas vezes, num piscar de olhos.

Como fazer isso? É simples, embora não seja fácil. Procure os números, mas não o número de escolas que elas freqüentaram.

Vá atrás dos resultados – os candidatos mantêm registros de posições similares. E, principalmente, procure por sua disposição de aceitar a responsabilidade e o sistema de medição no novo trabalho.

Nos esportes, sempre se verificam os números. Quando os clubes substituem arremessadores, jogadores de defesa ou técnicos, a preocupação não é com a personalidade do novo atleta nem com quem ele dividiu os bancos escolares. O interesse é pelo desempenho, pelas estatísticas. A chave para fazermos as melhores escolhas é chegarmos o mais perto possível dos atributos listados no capítulo sobre vencedores. Quando você não obtiver números, procure pelo coração. Como fazer isso?

Em primeiro lugar, os vencedores acreditam em si mesmos e identificam uma relação entre as realizações passadas e as tarefas que estão por vir. Mas é preciso que o trabalho futuro seja bem definido para que eles possam transferir o sucesso que já viveram para as atribuições que têm pela frente.

Às vezes, um gerente sábio é capaz de reconhecer em novatos qualidades que esses recém-contratados não percebiam em si mesmos. O técnico de um time vencedor do Super Bowl disse que treinar é simplesmente levar os jogadores a um lugar onde eles não acreditavam chegar sozinhos. Em geral, o vencedor é quem consegue identificar uma relação direta entre o sucesso passado e as novas tarefas.

Em segundo lugar, os vencedores estão comprometidos com a direção da equipe. Percebem um vínculo direto entre as metas da empresa e aquelas que eles próprios perseguem. Nos esportes, esses são os jogadores que conseguem ver relação entre as muitas horas de treinamento e os poucos momentos de glória e considerar isso um bom negócio.

Em terceiro lugar, essas pessoas aceitam o treinamento. Todo vencedor tem um técnico por trás. Eles reconhecem que bons técnicos possuem conhecimentos que lhes faltam e estão dispostos a aprender. Acatam a liderança. Os grandes possuem mentores.

Na Universidade do Estado de Michigan há um cartaz que diz: "A diferença entre bons e ótimos é um pequeno esforço extra." A palavra "pequeno" está grifada. As recompensas nos esportes não costumam representar com precisão as *pequenas* diferenças entre os vencedores e os que chegam em segundo lugar. A cada ano, no Torneio de Golfe PGA, os vitoriosos são classificados por ganhos totais. Em 1996, Tom Lehman venceu e levou 1, 78 milhão de dólares – foi eleito o Jogador do Ano. Corey Pavin participou do mesmo número de torneios, com equipamento igual, e recebeu 851 mil dólares.

Qual a diferença entre Lehman e Pavin? Um ganhou quase 1 milhão de dólares a mais do que o outro. Lehman realmente é tão melhor?

O PGA mantém registros da média de tacadas por rodada de todos os jogadores. As estatísticas mostram que, ao receber seu prêmio, Lehman fez a média de 69,71 tacadas em todos os 18 buracos de golfe que jogou no torneio. A média de Pavin foi 70,43. Setenta e dois centésimos de uma tacada custaram a Pavin 929 mil dólares! Um pequeno esforço extra, a diferença entre bom e ótimo.

Em 1995, Greg Norman foi o ganhador do maior prêmio em dinheiro do Torneio PGA – 1,655 milhão de dólares – com um placar médio de 69,06. O nono colocado naquele ano, premiado com 1,108 milhão de dólares, foi Vijay Singh, com uma média de 69,92. Norman recebeu 50% a mais do que Singh, embora sua média fosse apenas 86 centésimos de uma tacada melhor por rodada.

Naquele mesmo ano, o piloto canadense Jacques Villeneuve venceu as 500 Milhas de Indianápolis. Num dos resultados mais apertados da história desse evento, ele ganhou por 2,5 segundos, depois de mais de três horas de prova. Estima-se que o valor total recebido por Villeneuve, incluindo a premiação pela melhor volta e outros incentivos, tenha sido 10 vezes maior do que o do segundo colocado.

Em três Jogos Olímpicos de Inverno, em 1988, 1992 e 1994, a maior patinadora de velocidade, Bonnie Blair, ganhou três medalhas de ouro seguidas por 56 centésimos de segundo – somados!

Agora vamos tratar da segunda colocação. Já mencionei o nadador Mark Spitz, vencedor de sete medalhas de ouro nas Olimpíadas de Munique em 1972. Foi dele a melhor apresentação de um atleta amador na história dos Jogos Olímpicos. Sua maior margem para conseguir aclamação mundial não chegou a dois segundos. Você sabe quem ficou com o segundo lugar? Na verdade, a diferença entre o bom e o ótimo é apenas um pequeno esforço.

Em 1978, a corrida Belmont Skates, entre Affirmed e Alydar, foi tão acirrada que levaram 20 minutos para dar a vitória a Affirmed, o 11º cavalo na história a ganhar a Tríplice Coroa. A diferença dos prêmios em dinheiro e da fama entre os dois cavalos é gigantesca. O mesmo acontece em todos os campos, até na empresa em que você trabalha.

Quando você estiver à procura de vencedores para a sua organização e com o propósito de estabelecer um ambiente vitorioso, pense na diferença entre vitoriosos e perdedores no beisebol. Um rebatedor com 200 rebatidas é repassado de um empresário para outro com grande freqüência, enquanto um rebatedor com 300 rebatidas, como Ken Griffey, Jr., vale tanto que, se ele brigar com o agente, adivinhe quem é despedido?

A diferença entre um rebatedor de 200 rebatidas e um de 300 é uma rebatida a mais em cada 10 percursos até à base. Isso corresponde a apenas uma rebatida extra em cada 60 arremessos. Procure pelo colaborador em potencial com pequena margem de excelência.

Há muitos livros excelentes sobre entrevistas com candidatos a emprego. Não é minha intenção desmerecer todo esse conhecimento, mas enfatizo que o processo de seleção deve ser o início de uma relação entre um técnico e um vencedor. Os grandes treinadores são os que procuram sempre minimizar a insegurança, e isso começa já na fase da seleção, quando o campo do jogo é determinado.

Muitos gerentes não sabem o que significa estabelecer o campo do jogo quando entrevistam um candidato. Usam procedimentos sem muito sentido, como analisar o currículo. "Ah, você trabalhou para a IBM. Tudo bem por lá?" ou "Você estudou na escola XYZ. Conheceu o João Silva? Acho que ele foi da turma de 1970". Eles perdem tempo lendo o currículo, como se a pessoa não soubesse o que está ali ou como se tentassem flagrá-la em uma mentira.

Na minha empresa, a entrevista sobre o campo do jogo é mais ou menos assim: "João, o trabalho é esse. Espero que, como parte do departamento de marketing, você se esforce o máximo possível para, pelo menos uma vez a cada cinco dias, fazer com que um dos nossos colaboradores mais antigos se reúna com um diretor para fechar uma venda. Veja como é feito o cálculo. Temos na empresa a 'média de tempo entre reuniões de fechamento de vendas'. Sua primeira meta é sair e conseguir uma situação desse tipo. Não sei se você levará uma semana ou um mês, porém precisa alcançá-la. A segunda meta é fazer com que a reunião seguinte ocorra em menos tempo do que a primeira. A terceira meta é ser capaz de marcar a próxima reunião em menos tempo do que a média das duas primeiras. A quarta meta é continuar baixando a média."

(Essa também é a fórmula de desempenho que uso com novos vendedores, como você verá no capítulo 12. Já ajudei diversas empresas a adotar variações desse método. Desconheço qualquer outro campo de jogo que tenha funcionado tão bem para fazer com que profissionais de vendas recém-contratados trabalhem de modo produtivo. Depois de explicar o que espero deles, os instruo a anotar seus progressos num gráfico como o da página 137.)

Falo aos candidatos sobre os melhores e os piores desempenhos de outros funcionários. Em seguida, pergunto-lhes se estão dispostos a atuar no campo de jogo que delimitei. Deixo claro que seu desempenho não será avaliado com base em fatores como personalidade, charme, aparência, sexo, raça, resultados que alcançaram em outras empresas e pessoas que conheceram no ensino médio.

Depois disso, entro em detalhes sobre *como* eles podem conseguir as reuniões. Falo sobre o número de contatos que resultará em pelo menos uma apresentação de abertura por dia e também sobre a maneira como antigos colaboradores atuavam, especialmente os melhores. Quando termino, os candidatos têm uma idéia clara do campo do jogo, um modo de medir o desempenho, o quadro de registro para que saibam o que devem buscar e um perfeito entendimento das minhas expectativas. No fim da entrevista, avalio seu comportamento de vencedor no passado, seu compromisso com a direção da nossa equipe e sua disposição para aprender, crescer e ter um técnico. Quando esses critérios atendem nossas necessidades, estamos diante de candidatos com potencial para fazer parte da empresa. É assim nos esportes e assim deve ser em todos os tipos de negócios.

O processo de seleção nos esportes baseia-se no desempenho, mas também no planejamento em relação à obsolescência prevista, ao excesso de contratações e à preparação para os caprichos do animal humano. Todo time de futebol americano profissional tem quase 50 jogadores, em média. Todo ano, ainda entrevistam mais 438 atletas com possibilidade de se candidatar, visando substituições que levem ao crescimento da equipe. Desses 438, cerca de 50 a 75 novatos e profissionais sem contrato estão aptos a entrar para o time – todos eles preparados para substituir quase 1/14 da equipe. Isso representa uma rotatividade planejada de 7% ao ano. Não há condescendência em relação a jogadores machucados, novos contratos e ofertas competitivas para outros esportes ou para a liga canadense de futebol. Os times contratam em excesso com base na sua experiência com um alto índice de renovação.

Média de dias entre as vendas

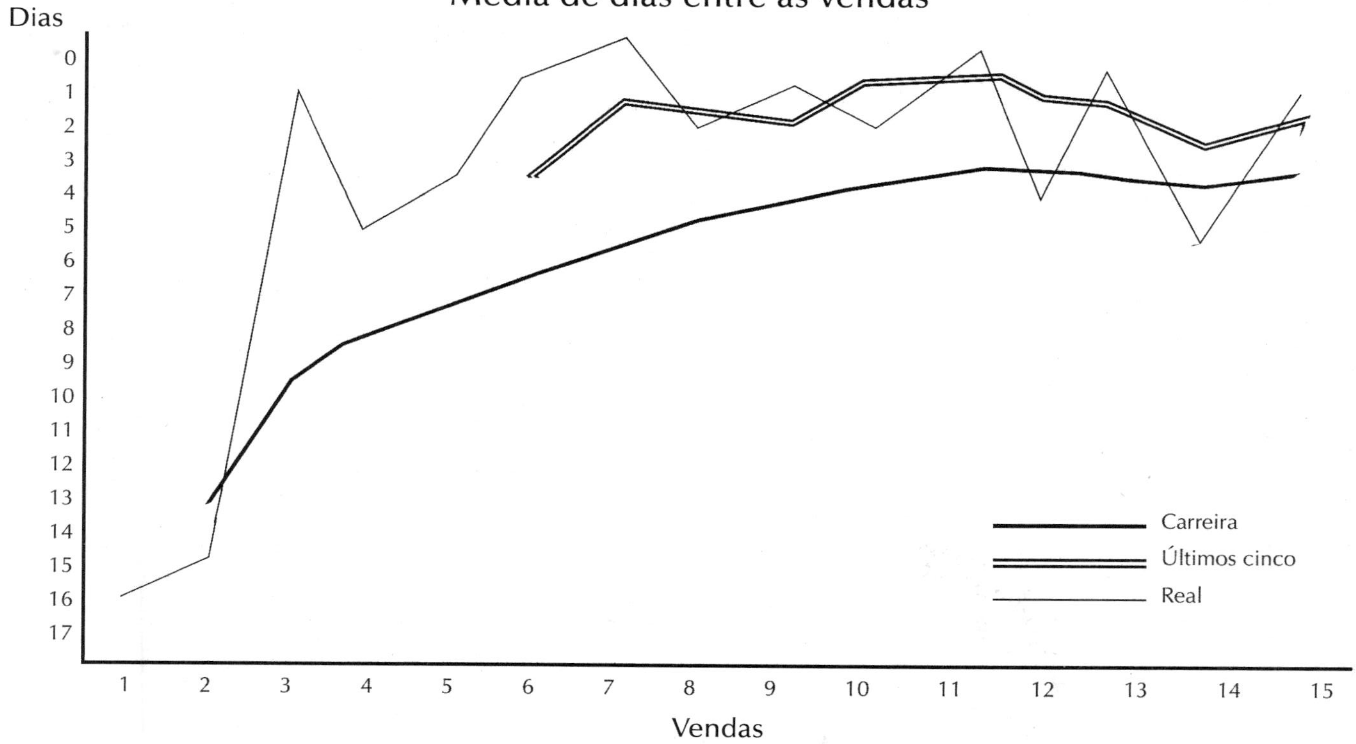

Estatísticas revelam que 99% dos jogadores profissionais de beisebol contratados no início do ano nunca apareceram num jogo de uma liga majoritária. Há um processo natural de seleção. Dizem que, para todo campeão olímpico de patinação no gelo, existem milhares de aspirantes em todo o país buscando uma oportunidade para crescer. Alguns deles conseguem chegar aos campeonatos nacionais. Um deles poderá se tornar a grande estrela das próximas Olimpíadas. Por que costumamos ignorar a necessidade evidente de continuar a recrutar, entrevistar e contratar, a fim de encontrar os melhores?

Quando Tony Dorsett, o *running back* que brilhou no futebol universitário americano e na Liga Nacional de Futebol, entrou para o time do Dallas Cowboys, provavelmente teve com o técnico uma conversa assim:

– Tony, vou lhe dizer o que esperamos da sua atuação. Você terá a posse de bola entre 20 e 35 vezes em cada jogo. Nossa expectativa é que, em cada uma dessas situações, você faça cerca de cinco jardas. Também pretendemos que drible e bloqueie esse mesmo número de vezes, que pegue muitos passes e fique no banco em tais e tais situações. Tudo bem?

Talvez a resposta do jogador tenha sido:

– Bem, na faculdade não era assim. Acho que não devo bloquear nada e que só devo pegar passes se eu estiver protegido por outros jogadores. E não quero ficar no banco. Além disso, falei com outro *running back* e acredito que o que você espera não corresponde à realidade.

Com uma resposta dessas, o técnico provavelmente teria dito:

– Tudo bem, pelo que entendi, você tomou apenas uma das 27 decisões que precisa tomar.

– E qual é ela?

– Em qual dos outros 27 times da Liga você gostaria de jogar no ano que vem.

À medida que passamos da contratação para o treinamento,

devemos persistir no compromisso com a especificidade. Fico impressionado com o número de gerentes que despedem um colaborador por ineficiência, mas lhe pedem que treine o substituto. Incrível! O gerente passa a liderança para alguém cujo trabalho é insatisfatório, permitindo que uma situação indesejável continue.

Os gerentes devem reconhecer que a alegria ou a satisfação com qualquer experiência é medida pela intensidade com que ela atende ou supera as expectativas da pessoa. A frustração de expectativas é a primeira causa para o relacionamento dar errado. Assim, desde o início é imprescindível que o colaborador saiba exatamente o que se espera dele. Quando digo "desde o início", refiro-me ao primeiro dia de trabalho ou até mesmo antes disso, já no processo de seleção.

O atleta e o funcionário ficam perdidos se não têm uma visão clara do campo do jogo. Mesmo assim, o que costuma acontecer quando um novo colaborador chega à empresa?

No primeiro dia, nós o cumprimentamos e o colocamos em uma mesa, deixando que outro funcionário, muitas vezes medíocre, descreva para ele, de forma equivocada, o campo do jogo.

Geralmente, o recém-contratado nos dá toda a atenção até o primeiro intervalo para o café. Por exemplo, ele chega de terno às 8h me chamando de Sr. Coonradt. Está ansioso para saber o que pode fazer pela empresa. Durante a pausa para o café, encontra um funcionário antigo que tem idéias confusas ou deturpadas sobre o campo do jogo. O novato volta com o nó da gravata desfeito, as mangas arregaçadas, cheio de intimidade, me chamando de Chuck. Muitos gerentes transferem a liderança para as pessoas erradas, abdicam do papel de técnicos e passam o resto do seu tempo de supervisão tentando impedir que os colaboradores cheguem aos extremos fora dos limites.

Recomendo que você não perca de vista os novatos nas primeiras 48 horas. Faça com que estejam presentes a todas as reuniões.

Leve-os para almoçar. E só os deixe ir ao banheiro se tiver certeza de que ficarão sozinhos lá dentro. Existe apenas uma chance para criar a primeira impressão. Assegure-se de que, desde o início, eles compreendam exatamente qual é o campo do jogo. Isso evitará problemas mais tarde e pode até representar a diferença entre o sucesso ou o fracasso de um funcionário.

A necessidade de controlar os novos colaboradores e dar-lhes a idéia correta desde o início é ilustrada com o que se faz com as crianças nos acampamentos de férias no meu país. No primeiro dia, o monitor chama 12 ou 14 garotos para jogar "mate o monitor". As crianças devem atacá-lo todas ao mesmo tempo e bater nele – aparentemente é como uma daquelas brincadeiras em que elas se envolvem em casa. Porém, enquanto em grupo as crianças estão esgotando o monitor, cada uma delas sente, individualmente, o poder que ele tem à medida que as vai jogando longe, uma a uma, durante a batalha. Assim, percebem quanto ele é forte.

Quatro ou cinco dias depois, quando um dos garotos estiver aprontando na igreja, basta o monitor lhe segurar o braço. Se a criança continuar a se comportar mal, ele apertará com mais força, lembrando como a dominou facilmente no jogo. Então ela se aquieta. A autoridade sutil é muito superior ao poder intimidatório.

O que muitos gerentes não compreendem é o seguinte: o modo como os colaboradores reagem em uma empresa e a avaliação mental que fazem da organização dependem basicamente da sua relação com a pessoa por quem são supervisionadas. Quando um novato chega, o gerente é seu condutor, recebendo o respeito e as devidas respostas desse funcionário. O respeito permanece até que as expectativas deixem de ser atendidas. Portanto, repito: é necessário que elas sejam compreendidas e claramente definidas.

CAPÍTULO 11

A melhor maneira de motivar

"O trabalho do técnico é levar o jogador até onde ele não consegue chegar sozinho."

– Bill McCartney, coordenador de defesa do time de futebol americano San Francisco '49ers (Temporada do Super Bowl)

O que é motivação? Ação, incentivo, desejo, poder de ir em frente, alguma coisa de que precisamos quando não a temos, como crédito no banco. Bilhões são gastos com motivação todos os anos. São broches, placas, prêmios e, naturalmente, roupas nas cores dos times.

O que é motivação? Dividindo a palavra ao meio, temos *motiv* + *ação*. E adicionando a letra "o" à primeira metade, formamos motivo. Motivação é um *motivo* para agir – uma razão para fazer alguma coisa.

Ela está sempre presente. Pode ser boa, ruim ou não ter nenhuma moral, no entanto invariavelmente está lá. Acontece no momento. Não é algo que possamos comprar numa caixa ou numa garrafa e colocar na prateleira.

Não existem pessoas desmotivadas. Adolescentes cansados

demais para arrumar o quarto numa tarde de sábado estão economizando energia para um encontro à noite. Estão motivados, embora não na direção preferida pelos pais. Todo mundo está motivado. A sede nos motiva a beber, o cansaço a dormir.

A grande questão é como obter mais motivação nas áreas em que desejamos. Como nos tornarmos – e os que estão próximos a nós – mais estimulados a perseguir realizações profissionais e nos negócios. Para saber de que maneira conseguir mais motivação, primeiro precisamos compreender como ela funciona.

Há três tipos de motivação. A forma mais comum é o medo. Os pais a utilizam com as crianças, os gerentes com os colaboradores, o tempo todo. Quando uma carroça puxada por um burro pára ao pé de uma montanha, o medo é motivado pelo homem que estala o chicote. A teoria é simples, mas nem sempre funciona, pelo menos não tão bem quanto deveria. Às vezes o animal dá coices ou empaca. Se a montanha é íngreme e a carga é pesada, chega um ponto em que o burro prefere apanhar a continuar. As pessoas também.

Às vezes, os profissionais de vendas atingem este estado: preferem ficar no escritório e morrer de fome a sair para trabalhar. Na maioria dos escritórios há funcionários morrendo de fome. O melhor a fazer por eles é despedi-los. As pessoas têm autodeterminação. Temos que deixar que façam o que querem. Se desejam morrer de fome, não podemos evitar, porém não precisamos pagá-las enquanto fazem isso.

Um dos maiores problemas com a motivação pelo medo é que é necessário alguém com um chicote para controlar cada burro, o que custa caro. Se você tem seis colaboradores morrendo de fome e demite um deles, os outros cinco dirão: "Nossa! Está vendo como aqui é dureza?!" Ainda assim, não sairão para fazer sua parte. E o gerente de relações humanas ficará no seu pé por ter demitido a pessoa. Não dá para vencer usando o medo.

Outra alternativa é motivar por meio do incentivo. Penduramos uma cenoura na ponta de uma vara comprida e a colocamos na frente do burro. De acordo com a teoria, ele será atraído pela cenoura e puxará a carroça até o alto da montanha. No entanto, há cinco tipos de situações em que a cenoura não funciona.

Uma delas é quando o animal não está com fome. Às vezes, quando temos um burro que se satisfaz com 1.500 cenouras por mês e o transferimos para uma posição em que ganhará 3 mil cenouras, ele baixará seu desempenho para deixá-lo no mesmo nível das suas expectativas e necessidades. Ele não está com fome.

Isso é comum na venda de imóveis. Por exemplo, imagine que alguém acostumado a ganhar 2 mil reais por mês tenha se tornado um corretor de imóveis. O supervisor lhe diz para conseguir uma nova listagem de imóveis a cada três dias, o que ele faz. Depois, o supervisor comete o maior erro do mundo. Ele vende uma casa pela pessoa e completa a mancada levando-a para a reunião de fechamento do negócio e dando-lhe uma comissão de 3.500 reais em um só dia. Isso acontece na quarta ou quinta semana de trabalho. O corretor põe o dinheiro na conta bancária, agora maior que sua auto-imagem. Como ele não consegue elevar a auto-imagem, espera a conta bancária baixar.

A segunda situação em que a cenoura não dá resultado é quando ela não é grande o bastante. O burro olha para a cenoura, olha para a carga, vê como a montanha é íngreme e pensa: "Se você acha que vou carregar isto montanha acima por esta porcaria de cenoura..."

O terceiro problema com a cenoura acontece quando o caminho é íngreme demais. Não podemos pedir às pessoas que façam mais do que são capazes. Às vezes, ter aulas, aprender novas habilidades ou obter mais conhecimento a respeito do produto pode mudar a situação.

Em quarto lugar, a cenoura mostra-se inútil quando a carga é pesada demais. Isso acontece na situação em que a pessoa diz:

"Sei que posso ganhar muito dinheiro nesse negócio, mas sabe quantas pessoas tenho que visitar para fazer uma venda?"

O quinto problema com a cenoura eu descobri quase por acaso. Numa palestra sobre motivação me perguntaram o que fazer se o burro não gostar de cenoura. Eu não estava preparado para a pergunta, fiquei paralisado. Depois comecei a pensar sobre aquilo.

A pessoa tinha me mostrado um dos problemas fundamentais da motivação por incentivo. Pouco depois dessa experiência, eu estava numa reunião de vendas quando o vice-presidente da empresa nos mostrou uma TV LCD de 37 polegadas que seria o prêmio para o melhor vendedor do mês.

Ouvi uma colaboradora dizer: "Grande coisa. Essa TV pode valer uns 4 mil reais. Se eu ganhar, terei que gastar pelo menos 6 mil reais para reformar a sala." No seu modo de ver, aceitar aquela cenoura de 4 mil reais lhe custaria 6 mil reais. Não gostou da cenoura.

Outra situação ruim ocorre quando o empresário diz: "Trabalhe duro e o promoverei a gerente."

O colaborador pensa: "Hum... gerente. Essa é uma pessoa que trabalha 30% de horas a mais por uma remuneração 10% menor. Corre um risco três vezes mais alto de sofrer um infarto e tem seis vezes mais chance de se divorciar. Não gosto dessa cenoura." Perto de receber a promoção, haverá uma queda em seu desempenho. Se você for usar uma cenoura, tenha certeza de que os burros gostam dela.

Burros podem reagir melhor a chicotadas e cenouras, mas esse não é o caso das pessoas. Elas respondem melhor às suas próprias metas, caso as tenham. Não é necessário tratar as pessoas como burros quando sabemos o que significa lutar por metas. Alcançar objetivos é uma forma de ganhar, e todos gostam de vencer. Quem quer triunfar atingindo metas não precisa de cenouras nem de chicotadas, pois a vitória é sua recompensa.

Lembre-se de que não existem pessoas desmotivadas. O estabelecimento de metas orienta a motivação, canalizando-a na direção certa. Por meio das técnicas adequadas de fixação de metas apresentadas no capítulo 2, é possível conduzir os desejos, as vontades e as necessidades de um colaborador para uma atividade com propósito.

A terceira e mais eficaz forma de motivação, a automotivação, acontece quando as pessoas têm permissão para escolher as recompensas que desejam, estabelecer as metas que pretendem alcançar e decidir como atingi-las. Nos esportes, os atletas podem ficar bastante motivados porque sabem que ninguém mudará regras nem limites durante o jogo. Por isso treinam e se condicionam com afinco. Na diversão, as regras são claras: troco meus talentos, minhas habilidades e minha energia por aquilo que desejo. Infelizmente, isso não acontece nos negócios. É por essa razão que, na maioria dos casos, as pessoas pagam pelo privilégio de suar a camisa quando se divertem, mas não se esforçam tanto quando são pagas para isso.

A motivação – isto é, o motivo para a ação – é a troca entre o que queremos e o que estamos dispostos a dar em troca.

Imagine uma gangorra. Lembre-se de que motivação é *motivo* para *ação*. Do lado esquerdo está o peso, ou a intensidade, do *motivo*. Do lado direito, o peso, ou a dificuldade, da *ação*.

Se lhe ofereço mil reais para me chamar de Sr. Coonradt, e não de Chuck, você será imediatamente motivado a obedecer. Mil reais é um *motivo* forte e me chamar de Sr. Coonradt é uma *ação* fácil. O dinheiro logo o motivará.

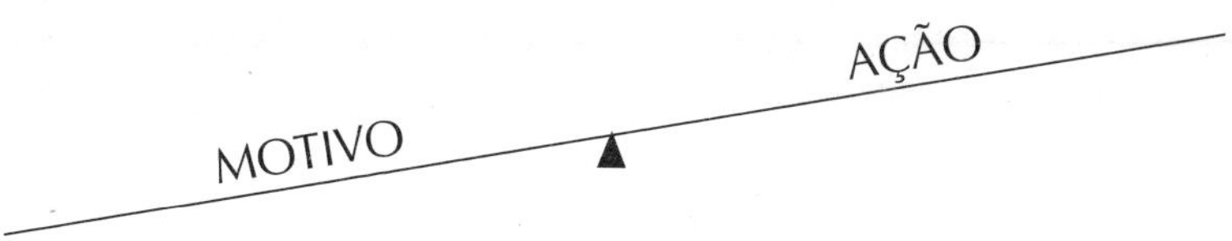

Se lhe ofereço 50 centavos para correr 20km carregando um peso de 30kg, você vai me achar maluco. Nesse caso, a *ação* ultrapassa de longe o *motivo*. Nada acontece. *A chave para a motivação é dar motivos que não pesem mais do que as ações desejadas.*

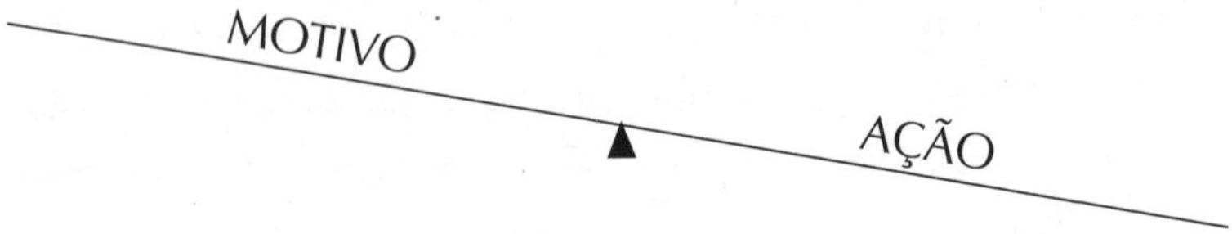

A relação entrc *motivo* e *ação* é perfeitamente ilustrada com um caso que aconteceu no Velho Oeste. Um fazendeiro e a mulher estavam indo para a cidade na sua charrete quando um bandido apareceu. Ele apontou uma arma para o casal e mandou que o homem descesse.

– Sabe dançar? – perguntou o criminoso.

– Não – respondeu o assustado fazendeiro.

– Vamos ver – disse o bandido, atirando três vezes na direção dos pés do homem. Ele dançou e o marginal riu.

– Sua mula sabe dançar? – perguntou o bandido quando a poeira baixou.

– Não – respondeu o fazendeiro, amedrontado.

– Vamos ver – disse o malfeitor, atirando três vezes nos pés do animal. A mula empinou, inclinando a charrete e assustando a mulher.

O bandido riu novamente até que a mulher apanhou uma espingarda de dois canos que estava debaixo do banco e apontou para ele.

– Ei, rapaz, o seu revólver é de seis tiros?

– É, sim – disse o homem, espantado, preferindo estar longe, pois já dera os seis tiros.

– Meu filho – ela continuou –, você já beijou uma mula?

– Não, senhora – ele respondeu, olhando para o cano da espingarda –, mas estou ansioso pelo privilégio.

Quando o motivo é mais forte do que a ação, colhemos resultados. Todo mundo tem uma gangorra na cabeça. A motivação é um processo de empilhar coisas no lado do motivo até que o movimento ocorra e a ação se levante do chão.

O resultado na motivação é fazer a gangorra se mexer. Se você motiva pelo medo e nada acontece, consiga um chicote maior. Uma espingarda de chumbinho a 1,5m de distância é mais eficaz do que uma pistola a 1km. O problema é a persistência. Embora você possa demitir colaboradores, não pode estar com eles o tempo todo para ter certeza de que estão trabalhando. Da mesma forma, não terá condições de manter um supervisor com um chicote para vigiar cada funcionário.

Se você motiva pelo incentivo e não obtém resultados, use uma cenoura maior. No entanto, numa época em que as margens de lucro forem menores, não conseguirá bancar cenouras cada vez maiores. Seria ótimo dar a cada colaborador uma gratificação anual de 100 mil reais e três meses de férias remuneradas, mas a maioria das empresas quebraria caso oferecesse uma cenoura tão grande. E, às vezes, as pessoas não querem cenouras.

Como, então, conseguir mais motivação sem investir em um chicote maior e em mais cenouras? A chave para a motivação bem-sucedida é o envolvimento individual. Isso significa unir as metas pessoais dos funcionários às da empresa. Para vencer no trabalho, você tem que criar uma metodologia em que as pessoas e o negócio estejam intimamente ligados para crescer juntos, com metas comuns ou compatíveis. Para isso, será necessário que reconheça os seguintes fatores:

1. *O que há aqui para mim?*

É uma pergunta vital, que está na cabeça de todos os colaboradores quando chegam ao trabalho diariamente. Sempre que se vêem numa situação nova em que terão que mostrar seu desempenho, eles formulam essa pergunta. Muitas vezes não a verbalizam porque não querem que o supervisor os considere egoístas, encrenqueiros nem funcionários ruins. No entanto, a pergunta está lá. Um gerente atento a perceberá.

2. *Por que devo fazer isso?*

Essa é uma pergunta que as crianças costumam fazer muitas vezes. Pelo menos, até desistirem depois de ouvir centenas de vezes "Porque eu mandei", o que não chega a ser uma explicação. Os pais dizem isso por ignorarem a resposta certa ou por preguiça de procurá-la. Seria melhor afirmar que não sabem.

Quando as pessoas perguntam, com a boca ou com os olhos, "Por que devo fazer isso?" ou "O que há aqui para mim?", estão tentando se motivar.

Estão querendo dizer "Gerente, minha gangorra ainda não está inclinada", "Não decidi ir", "Preciso de ajuda", "Deixe-me entender melhor", "Repita", "Quero ser motivado!".

Há algo em relação à natureza humana que torna quase impossível para nós fazer alguma coisa enquanto não entendemos por quê. Você já se viu em uma situação em que alguém lhe pediu que executasse uma tarefa nova ou inesperada sem dizer a razão?

Houve uma época em que trabalhei no departamento de compras de uma empresa. Certo dia, o presidente da companhia solicitou que eu verificasse uma conta.

– Claro – respondi. – O que estou procurando?

– Apenas verifique – ele disse.

– Por quê? – perguntei.

– Não importa. Apenas verifique todas as faturas que recebemos dessa conta no ano passado.

– O que estou procurando? – repeti.

– Não posso dizer. Apenas faça.

Foi um caso extremo, mas aconteceu. Se ele tivesse dito que suspeitava de roubo ou de que um comprador estava levando dinheiro por fora, eu teria procurado com um propósito. Porém, eu não sabia qual era o objetivo daquilo. Levei três horas para me sentir motivado a verificar o arquivo. Fiz o trabalho sem estímulo, sem compreender o porquê. Quando terminei, o presidente teve a petulância de me pedir uma análise do que eu havia encontrado.

Um recém-casado perguntou à mulher por que ela havia cortado as duas pontas do presunto no primeiro jantar de Páscoa do casal. Ela não sabia – aprendera com a mãe. Quando a sogra chegou para o jantar, o genro lhe perguntou por que as duas pontas do presunto eram cortadas. A sogra disse que não sabia – aprendera com a mãe, que logo estaria presente.

Mas a avó da mulher dele também não sabia. O recém-casado ficou tão curioso que pegou o carro e foi até o asilo perguntar à bisavó. A senhora, enfraquecida, mal conseguia falar, no entanto explicou que, quando era criança, os fornos eram pequenos e os presuntos, grandes. Assim, era necessário cortar as pontas para que coubessem no forno. Veja quanto presunto foi desperdiçado porque ninguém perguntou o motivo daquela prática.

3. *Faça-me sentir importante!*

Um colega meu estava fazendo uma pesquisa para uma fábrica onde avaliava o estado de ânimo e as atitudes. Ele entrevistou colaboradores que participavam de diferentes estágios do processo de manufatura. Em uma área, os funcionários colavam algo parecido com peças de plástico branco em pedaços de madeira bem dura, uma tarefa entediante. Meu amigo perguntou a um deles:

– Você gosta do que faz?

O homem disse que era um trabalho sem importância.

– O que você está fazendo? – perguntou meu amigo.

– Estou colando essas coisas brancas nos blocos de madeira.

– Você gosta da empresa?

– Não – ele respondeu.

– O que acha dos benefícios?

– Nada especial. Não são tão bons.

O pesquisador obteve respostas parecidas de outros quatro ou cinco colaboradores. Até que entrevistou uma senhora que tinha o cabelo branco preso num coque. Ela estava assobiando. O gráfico de produção mostrava que ela produzia 50% acima da média.

– Que tal a empresa? – perguntou meu amigo.

– Um ótimo lugar para se trabalhar, o melhor emprego que já tive – respondeu a senhora.

– E os benefícios?

– Excelentes.

– E a gerência?

– É ótima – disse a mulher.

– Aliás, o que a senhora faz?

– Faço pianos.

Ela havia percebido que estava montando teclas de piano. Sabia que os dedos de um mestre ou as mãos de uma criança curiosa usariam aquelas teclas para alegrar a si mesmas e outras pessoas. Ela se sentia importante com o que fazia e estava motivada.

4. *Estímulos diferentes para pessoas diferentes.*

Mao Tsé-tung sabia como motivar as pessoas. Com um pequeno grupo de comunistas, assumiu o controle da China, vencendo Chiang Kai-shek, que queria a democracia. Pelos nossos padrões, Chiang Kai-shek estava certo e se importava com as pessoas. No entanto, enquanto ele pregava democracia e liberdade, Mao Tsé-tung prometia comida, roupa e teto, o que as pessoas mais queriam e do que mais precisavam na época. Mao venceu. Ele tinha a fantástica habilidade de combinar os motivos dos seus seguidores com o que desejava realizar. Os grandes motivadores podem conseguir que um grupo concretize um único objetivo por diferentes razões individuais.

Pense na pessoa da sua empresa que mais precisa de motivação. Para ter uma experiência esclarecedora, tente responder ao questionário da página 153. Você sabe o nome do cônjuge dela? Quais são as idades e atividades dos filhos do casal? Esse colaborador tem hobbies? É muito envolvido com eles? Você sabe em que cargo esse funcionário gostaria de estar em sua empresa daqui a três anos? Isso será possível de acordo com sua avaliação? Você está a par da renda líquida dessa pessoa e de quanto ela gostaria de ganhar? Se o seu negócio quebrar, em que ela poderia trabalhar?

Você já deve estar se sentindo um pouco incomodado, e não estou nem na metade das perguntas. O que quero dizer é que *ninguém consegue motivar um estranho de modo eficaz.* Sua habilidade para estimular as pessoas está diretamente relacionada ao seu grau de conhecimento sobre elas e à sua capacidade de combinar os objetivos da empresa com as necessidades e desejos que elas têm. Você precisa saber o máximo possível a respeito de quem quer motivar.

O contrário também é verdade. As pessoas devem saber o máximo a seu respeito e também sobre a empresa. *Ninguém pode fazer o que você faz, a não ser que saiba o que você sabe.* Não espere que os outros pensem como você, a menos que eles tenham as informações que você possui.

O exemplo típico é o do gerente que recebe o que considera um relatório ruim de lucros e perdas. Com raiva, coloca o documento na gaveta para ninguém ver e fica de cara feia durante todo o mês, esperando que o próximo seja melhor. Dirige-se a um colaborador que tirou três minutos a mais na hora do café e lhe pergunta:

– Você não compreende que estamos atolados em problemas aqui?

– Não – diz o funcionário.

Diante dessa resposta, o gerente o considera uma pessoa irresponsável que não se importa com nada.

Para obter mais automotivação das pessoas, conheça-as melhor. Se alguém no seu escritório está preocupado em colocar comida na mesa na semana seguinte, você precisa saber. Caso haja alguém se endividando para pagar a prestação da casa, você também deve saber. Conheça as necessidades dos colaboradores e faça com que eles vejam que você e a empresa lhe oferecem um meio de atendê-las. Eles podem não ficar na sua organização para sempre, no entanto terão um bom desempenho enquanto estiverem ali.

Questionário de conhecimento sobre os colaboradores

Qual é seu grau de conhecimento sobre seus funcionários? Pense em um colaborador com quem você tem uma relação motivacional não ideal. Como você responderia às seguintes perguntas?

1. Nome do cônjuge do colaborador ou do seu parente mais próximo.
2. Idades e nomes dos filhos do funcionário.
3. O que ele gosta de fazer nas horas de folga? Cite três das suas atividades favoritas não relacionadas ao trabalho.

Você sabe qual é o nível de atuação dessa pessoa em cada uma dessas áreas? Está a par de prêmios ou de reconhecimentos especiais que ela tenha recebido?

4. Mencione uma atividade em que os filhos do colaborador se destacam.
5. Que posição esse funcionário almeja na empresa?

Quando ele pensa que estará pronto para assumir esse cargo?

Isso está de acordo com a avaliação feita por você?

6. O que esse colaborador faria se a empresa fechasse?
7. Como esse funcionário gosta de investir seu dinheiro?
8. Quais são os três maiores medos dessa pessoa?

CAPÍTULO 12

Vencendo o Jogo do Trabalho

"Todos os dias as pessoas precisam saber se ganharam ou perderam."

– Chuck Coonradt

A seguir, exemplos reais de empresas que estão aplicando no mundo dos negócios princípios motivacionais dos esportes. Pense em maneiras de adotá-los na sua empresa.

Fluxo de caixa numa madeireira

Fui contratado por uma madeireira para fornecer uma segunda opinião quanto à venda de um imóvel. A empresa tinha três propriedades e estava para vender a melhor, que possuía havia 30 anos, para impulsionar o fluxo de caixa. As taxas e os impostos de transmissão comeriam uma boa parte do dinheiro.

Como não acredito em problema de fluxo de caixa, minha pesquisa inicial apontou o que parecia ser um controle de crédito negligente e, mais seriamente, um afrouxamento no controle de compras, que vinha afetando o giro do estoque.

Recomendei um levantamento envolvendo as contas a receber

referentes aos 24 meses anteriores e também o estoque. Para medir as contas a receber, selecionei dias úteis de vendas a crédito em aberto (com pagamento pendente). Vimos o seguinte:

$$\frac{\text{Vendas a crédito dos últimos 90 dias}}{\text{66 dias úteis}} = \text{Média das vendas diárias a crédito pendentes}$$

$$\frac{\text{Extrato de contas a receber no fim do período atual}}{\text{Média das vendas diárias a crédito em aberto}} = \text{Dias úteis de vendas a crédito em aberto}$$

Medimos também as semanas de estoque disponível.

$$\frac{\text{Vendas das últimas 13 semanas x percentual do custo das mercadorias vendidas}}{13} = \text{Custo médio semanal de mercadorias vendidas em dólares}$$

$$\frac{\text{Estoque final do período}}{\text{Custo médio semanal das mercadorias vendidas em dólares}} = \text{Semanas de estoque disponível}$$

Essas medições não eram incomuns, porém eram excelentes CRRs.

Descobrimos que os dias úteis de vendas a crédito em aberto tinham passado de 43 para 67, o índice na época. Aquele aumento de 24 dias no atraso do recebimento das vendas estava empatando 250 mil dólares de capital de giro.

No estoque, as descobertas foram ainda mais impressionantes. Na época de pique de vendas no ano anterior, com um giro ótimo, o estoque se reduzira ao equivalente a 8,3 semanas de itens disponíveis. Ninguém se lembrava de haver problemas inusitados no atendimento dos pedidos, de aumento de produtos fora do estoque nem de clientes insatisfeitos. Mas o estoque crescera para o equivalente a 16,7 semanas. As oito semanas adicionais empatavam mais 200 mil dólares de capital de giro. Em apenas duas áreas, o emprego da medição – da aplicação de registros históricos – revelou a oportunidade de recuperarmos quase meio milhão de dólares.

Recomendei à gerência que suspendesse a venda do imóvel e que começasse a trabalhar nas contas a receber e no estoque. Treze semanas depois, os prazos das contas a receber passaram de 67 para 53, liberando um capital operacional de 100 mil dólares. Não foi mais necessário vender a propriedade.

Quero enfatizar que não estou apresentando técnicas mágicas para soterrar executivos sortudos em montes de dinheiro, embora eu tenha testemunhado alguns resultados incríveis com a implementação de métodos adequados de registro de índices. Estou falando da importância de jogadores ou colaboradores se tornarem cada vez mais conscientes das oportunidades de registrar índices.

Criar quadros de medição ao longo do tempo, as chamadas séries históricas, pode ampliar o entendimento da informação em muitas ocasiões.

Aumentando os lucros de uma empresa de comunicação

Às vezes é importante definir as regras antes de começar a jogar. Uma vez me envolvi numa situação desse tipo. Uma empresa de comunicações me pediu ajuda com os planos para o orçamento do ano seguinte. Há tempos a companhia vinha patinando num lucro pequeno, embora aceitável. Em quatro anos, seu lucro operacional anual oscilara entre 1,4 e 1,9 milhão de dólares. No último ano, fora de 1,7 milhão.

Em setembro, o presidente me pediu ajuda.

Em nossas primeiras reuniões, ele falou sobre assuntos como a opinião dos especialistas a respeito do mercado de ações, os planos que a concorrência possivelmente teria para o próximo ano, a relação com a empresa holding e outros tópicos sem importância usados em anos anteriores para elaborar o orçamento. Não tive dúvidas de que precisávamos esclarecer as regras antes que o jogo tivesse início.

Perguntei ao presidente que tipo de quadro de lucro ele gostaria de ter no ano seguinte. Ele disse que o melhor resultado a que já haviam chegado fora de 2,25 milhões de dólares.

– Gostaria de repetir essa marca no próximo ano? – perguntei.

– Não sei – respondeu. – Ainda não acabei de estudar todas as previsões econômicas.

Ele também mencionou uma série de meses de janeiro sem lucros pelo fato de o orçamento nunca ficar pronto naquele mês, apesar de iniciado em setembro.

– Gostaria de repetir aquele resultado? – insisti, percebendo que sua vontade era um dos fatores mais importantes no planejamento dos lucros da empresa.

– Gostaria – por fim respondeu. – Acredito que posso arriscar.

Fizemos um plano operacional de 2,25 milhões de dólares.

– Que porcentagem do lucro é gerada pelo principal departamento operacional da empresa? – perguntei. Ele disse que, tradicionalmente, esse departamento respondia por 86%. Assim, determinamos que esse percentual seria mantido.

– Isso é justo? – ele quis saber.

– Você acha que é? – perguntei.

– Sim – afirmou.

O departamento seguinte gerava menos de 10% dos lucros, então arredondamos sua participação para 10%. Por fim, o terceiro departamento na seqüência respondia por 4%. Alocamos 100% da meta do lucro da empresa com base na porcentagem histórica de receitas. Em seguida, o presidente mencionou outras áreas que consumiam boas parcelas do orçamento. Concordamos que elas ficariam subordinadas aos três departamentos lucrativos e que falaríamos a seu respeito depois de estabelecermos os planos para tais departamentos.

Convencido de que estávamos de acordo, saí da empresa numa sexta-feira à tarde, ansioso pela segunda-feira, quando nos reuniríamos com os gerentes.

Na reunião de segunda-feira, ele disse: "Senhores, preparei o orçamento e vou pedir a vocês que atendam alguns simples requisitos."

Entregou a eles um envelope com o valor líquido do lucro operacional esperado de cada departamento. Depois das reclamações iniciais, os gerentes voltaram para os escritórios e, em metade do tempo normal, prepararam um plano de operação para dar ao presidente o lucro solicitado. Os planos estavam prontos em novembro, enquanto nos anos anteriores haviam sido apresentados pouco antes do fim do ano. Embora a primeira reunião tenha sido tensa, o presidente comunicou suas expectativas com clareza.

Naquele ano, a empresa não alcançou a meta de 2,25 milhões de dólares, mas de 3,4 milhões, especialmente por dois motivos. Em primeiro lugar, os planos foram apresentados com bastante antecedência, o que permitiu a cada departamento estar pronto para começar o trabalho no primeiro dia do ano – antes isso só acontecia no fim de janeiro. Em segundo lugar, o gerente geral do principal departamento colocou a imaginação para funcionar e elaborou um dos programas de compras mais criativos da história da empresa. Ele disse que sabia o que fazer e, por isso, superou a meta. As reuniões passaram a se concentrar em lucro e crescimento, e não em reclamações sobre despesas. Com o estabelecimento claro das metas de lucro desde o início, muitas das atividades negativas e desnecessárias deixaram de ocorrer. Os gerentes adoraram o novo sistema. Tinham metas definidas e um caminho para a sua conquista. A liderança partira de cima. Fora específica, direta e intensa.

O presidente me confessou depois que não conseguira dormir na noite do domingo que antecedeu a reunião com os gerentes e que aquele fim de semana havia sido o pior da sua vida. Quinze meses depois, estávamos rindo disso e felizes com a demonstração recorde de lucros e perdas. Foi quando ele me disse que sua meta de lucros para o ano seguinte seria de 4,4 milhões de dólares. Vale dizer que antes o presidente rejeitara minha sugestão de um crescimento anual mínimo de 15% do lucro em dólares por considerá-la exagerada.

Melhorando a manutenção numa empresa de caminhões

Certa ocasião, fui contratado para prestar consultoria a uma empresa de caminhões que faturava 10 milhões de dólares por ano. A companhia estava enfrentando problemas na área de manutenção. Em primeiro lugar, medimos os custos de manutenção (mão-de-obra e peças) como uma porcentagem dos custos totais. Embora o índice correspondesse a quase o dobro da média nacional registrada em empresas similares, não apareceram flutuações significativas. Portanto, as medições não foram muito úteis. Não tínhamos com que comparar os resultados.

Então, resolvemos mensurar de uma forma diferente – a média de quilômetros entre cada parada mecânica. Copiamos essa idéia do Departamento de Defesa americano, que, ao longo de anos, vinha medindo o período entre as panes dos seus sistemas de defesa.

Era uma medição auto-administrada – os mecânicos anotavam os dados dos hodômetros de cada caminhão quando havia um problema. A manutenção de rotina e os serviços não estavam incluídos.

Nas garagens, os mecânicos ou os supervisores de manutenção anotavam os índices de cada veículo de que cuidavam. Era muito simples. Bastava subtrair do registro atual do hodômetro o registro anterior para obter o número de quilômetros percorridos entre as falhas.

Com esse sistema em operação, descobrimos um terminal de serviço que precisava de atenção imediata – em média, seus caminhões circulavam apenas 1.200km antes de quebrar novamente. Pela primeira vez na empresa, estava sendo feito um registro apurado, comparando o desempenho de cada oficina. O sistema também nos permitiu comparar os registros de serviços de diferentes fabricantes. Pudemos também confrontar o funcionamento das peças – velas de ignição, eixos, pneus, etc.

Com a aplicação desse sistema de medição, a quilometragem dos veículos aumentou e os custos gerais com reparos baixaram a 1,2% das vendas. Naquela empresa de 10 milhões de dólares, o resultado foi uma economia anual de 125 mil dólares.

Melhorando a capacidade de receber dinheiro dos clientes

Em outra ocasião, fui contratado para prestar consultoria a uma fábrica de guindastes. Quando comecei a investigação, dei uma olhada nas contas a receber, como sempre faço. Embora esses dados costumem ser atualizados mensalmente, eles devem ser verificados todos os dias.

A maneira-padrão de estudar as contas a receber é por meio

de um relatório sobre determinado período – dividindo os valores a receber em blocos de 30, 60 e 90 dias, o que mostra que porcentagem do valor devido à empresa está em cada categoria. Quando confrontamos os recebimentos com as pendências, o gerente costuma dar uma resposta vaga sobre porcentagem, falando em 2% a mais ou a menos e que o total em 90 dias é x. Boas informações, porém não sabemos em que terreno estamos, se a situação está melhorando ou piorando.

A primeira medição que acrescentei foi o número de dias de negócios realizados sem pagamento – a quantidade de operações feitas nos últimos 90 dias pelas quais a empresa ainda não tinha recebido. É uma medida concisa, flexível e fácil de adotar, além de proporcionar um rápido feedback. Mostra quanto a empresa é boa em cobrar, se está melhorando ou piorando nessa atividade.

Quando começamos a fazer isso, logo vimos que havia um problema real com as contas a receber. O número de dias de negócios realizados sem pagamento era de quase 90.

Enquanto discutíamos como corrigir o problema, uma frase simples chamou imediatamente a minha atenção. Alguém disse: "Aposto que, se conseguíssemos mandar a cobrança com mais rapidez, seria mais fácil receber."

Perguntei em quantos dias uma fatura era expedida. Ouvi a resposta típica de um gerente por observação – muito falatório sobre cobranças e problemas. Quem gerencia por observação cita exemplos que reforçam seu ponto de vista. Ficou claro que ninguém sabia o prazo em que as faturas eram enviadas. Não havia medição.

Estabeleci um quadro simples a ser completado pelo encarregado das faturas sob a orientação do controller. Começaram a identificar o número de dias necessários desde a conclusão do trabalho até a fatura ser enviada ao cliente.

No primeiro lote de 20 faturas, o tempo médio de processamento era de 13 dias úteis. O processo de verificação, a auditoria, a verificação do preço e a segunda verificação causavam um mês de atraso no pagamento.

Naturalmente, o cliente nunca está ansioso para pagar, não importa em que dia receba a cobrança. No entanto, decidimos que o dinheiro chegaria mais rápido se as faturas fossem enviadas em menos tempo, mais perto da data de conclusão do trabalho. Percebemos que a maioria dos clientes pagava em uma espécie de ciclo e que, se mandássemos a cobrança com mais antecedência, teríamos mais chances de pegar um ciclo mais próximo.

O quadro nos mostrou que a cobrança não estava acontecendo de acordo com as expectativas. Com essa informação, o controller começou a investigar as causas da lentidão e os meios de corrigi-la. Usando índices extras de medição, ele se dedicou a estudar o processo de envio das faturas e a desvendar os pontos de engarrafamento. Uma a uma, identificou as áreas problemáticas e as foi sanando. Em seis semanas, a média de dias úteis para expedir uma fatura passou de 13 para 3. Tínhamos eliminado quase duas semanas no processo. Nesse período, constatamos uma grande melhoria nos recebimentos.

Controlando a falta de lucro sazonal numa distribuidora de bebidas

Outro bom exemplo do uso da medição para controlar flutuações sazonais aconteceu numa pequena distribuidora de bebidas que contratou meus serviços para reduzir as perdas a partir do início do ano. Tradicionalmente, a empresa realizava muitas vendas e obtinha lucro durante os meses de verão e outono, com pico na época das festas do fim de ano. Mas, depois do início do ano, sempre havia um período de 30 a 90 dias no vermelho.

Enquanto escolhíamos um CRR, identificamos dois itens que não flutuavam com a inflação: custos e economia. O gerente de vendas começou a pesquisar cada rota ou caminhão com base no número de caixas entregues por litros de combustível consumidos. Foram feitos ajustes para veículos movidos a propano e diesel e também para carretas e reboques com plataformas planas. Registramos um aumento imediato – pela primeira vez em sua história, a empresa teve lucro em janeiro e fevereiro. Quando a gerência constatou que o método funcionava, introduziu uma medição envolvendo a quantidade de caixas entregues por quilômetros percorridos que lhe permitia diminuir os custos de acordo com a queda sazonal nas vendas. Essa simples medição fez com que a distribuidora reduzisse os custos de entrega em 15% sem registrar decréscimo na receita gerada pelas vendas.

Mudando a ênfase de pessoas para dólares numa campanha de arrecadação de fundos

Um dos meus clientes atuou voluntariamente como supervisor de um dos programas de televisão destinados à arrecadação de fundos para a instituição March of Dimes, dedicada à saúde infantil. O máximo já recolhido nas campanhas da Dimes tinha sido 78 mil dólares. Até então, as metas para o supervisor vinham sendo medidas em número de pessoas contatadas e atividades relacionadas ao processo de levantamento dos recursos.

Implementamos um novo programa, passando a ênfase para dólares recolhidos. Estabelecemos um sistema de rastreamento baseado nos anos anteriores capaz de atualizar o progresso a cada hora durante o programa de televisão.

Com o novo sistema, estabelecemos a meta de 100 mil dólares, 22 mil a mais do que qualquer quantia já obtida. No primeiro ano, a instituição arrecadou 110 mil dólares e, em três anos, chegou a mais de 200 mil dólares por ano.

Até mesmo sobras podem ser medidas

Uma fábrica de cercas me pediu ajuda para melhorar sua produtividade. O primeiro passo foi estabelecer uma medição não inflacionária para toda a empresa. Fizemos um gráfico com quilos de produto por pessoa/hora, incluindo a gerência e os colaboradores administrativos além dos da produção. Começamos com 58kg por pessoa/hora. Após quatro meses, a produtividade chegou a 89kg.

Durante a implementação do sistema, tivemos que criar uma série de medições intermediárias. Um dos maiores desafios eram as sobras produzidas quando fios galvanizados de bitolas 6 e 8 eram entrelaçados com fios de bitolas 9 e 11 para fazer alambrados. O supervisor encarregado da atividade não tinha idéia se estava ganhando ou perdendo. Sua meta parecia ser diminuir perdas, mas os moldes estavam gastos e a medida era inconsistente a maior parte do tempo. Quase nada estava certo na operação. Numa situação de máximo desempenho, enchiam-se dois contêineres de $7m^3$ com sobras decorrentes de quebras e erros de operação, entre outros problemas. O presidente sabia que estavam gastando milhares de dólares por mês só para armazenar sucata.

Por nossa sugestão, a empresa instalou uma balança para pesar as sobras e fornecer feedback imediato ao operador. Logo descobrimos que alguns colaboradores desperdiçavam mais do que outros e que alguns deles não estavam preparados para a função. Esses funcionários foram transferidos ou despedidos. Após seis semanas de instalação da balança, houve cerca de 80% de redução do desperdício. Dessa forma, uma quantidade maior de material passou a ser usada na produção final das cercas galvanizadas. A diminuição das perdas com as sobras foi de cerca de 40 mil dólares por ano.

Uma medida simples para reduzir o custo do estoque

Caixas por pessoa/hora é um bom indicador para o rastreamento de depósitos de distribuidores e de lojas de varejo, sobretudo mercearias. Convenci o gerente assistente de uma pequena rede de mercearias a rastrear todas as entregas durante algumas semanas. A produtividade ia do mínimo de 34 caixas por pessoa/hora ao máximo de mais de 60 caixas por pessoa/hora. Logo reconhecemos que as metas dos colaboradores jamais haviam sido expressas em produtividade, mas em sobrevivência até o fim do turno de trabalho. Podíamos ver que, durante o expediente, uma carga de 1.500 caixas era entregue por 30 pessoas/hora, numa taxa de cerca de 50 caixas por pessoa/hora. Dias depois, uma carga de mil caixas entregue à mesma loja exigiria o mesmo número de pessoas/hora – evidência de que a lei de Parkinson, segundo a qual "o trabalho se expande para preencher todo o tempo disponível para sua realização", realmente funciona.

Quando os funcionários souberam que estavam sendo acompanhados, a produtividade subiu. Eles só recebiam autorização para ir embora quando terminavam o trabalho. E a gerência determinou que seu pagamento poderia ser por comissão, o que permitiu maior flexibilidade nos horários. Com a empresa em ordem, o custo de estocagem nas prateleiras caiu em 27%.

Um sistema ideal de rastreamento para novos vendedores

Fui contratado por um representante de vendas independente, novato no ramo, que não estava conseguindo alcançar suas metas. Ele não estava sequer chegando perto das expectativas. Enquanto discutia o problema na minha empresa, nos concentramos em duas idéias. Uma delas era que, se pedíssemos aos novos colaboradores que fechassem um contrato de vendas no primeiro mês e dois contratos no mês seguinte, estaríamos solicitando a eles que dobrassem a produtividade em um mês – o primeiro, o mais difícil em sua carreira. Isso não seria bom.

A outra idéia foi baseada numa especificação do governo sobre o sistema de armas, chamada "média de intervalo entre panes". Tomei conhecimento desse método nos tempos da faculdade. Sintetizamos as duas idéias no que batizamos de média de dias entre vendas.

Criamos as seguintes metas preliminares para os novos vendedores:

1. Consiga a primeira venda o mais depressa que puder, seja de quem for, por qualquer preço (chegamos a pensar em baixar o preço, no esforço de dar ao novato uma experiência de sucesso o mais rápido possível).

2. Consiga a segunda venda em menos tempo do que levou para fechar a primeira.

3. Consiga a terceira em menos tempo do que a média das duas primeiras.

4. Continue a baixar a média.

Depois dos seus melancólicos primeiros 90 dias, quando já estava quase desistindo, esse vendedor adotou o sistema de dias entre vendas. No fim de um ano, foi considerado por sua empresa o melhor vendedor novato do período.

A fórmula funcionou melhor do que qualquer outro processo inicial de estabelecimento de metas e está levando mais pessoas a produzir vendas significativas em diversos pontos do país.

Com ela, o gerente de vendas pode treinar cada vendedor. Os novos colaboradores têm oportunidade de experimentar o sucesso por meio do aumento gradual da sua produção.

Conclusão

Os princípios deste livro servem para melhorar o desempenho e aumentar o lucro em quase todos os tipos de negócios. Eles são atemporais e funcionam no trabalho como funcionam no esporte e na diversão.

Uma vez que as pessoas reconheçam o valor de registrar índices e tenham metas pessoais coerentes com as metas da empresa, as regras são claramente definidas e os CRRs são aplicados, o que lhes permite saber se estão ganhando ou perdendo a cada dia. E sua produtividade aumentará de modo espetacular. Aceitar a idéia é a chave e ter escolha faz diferença. Os jogadores que ajudam a criar e desenvolver seus próprios sistemas de medição de índices sentem-se seus donos, importam-se com eles e lutam para mantê-los.

Quando os princípios deste livro são aplicados na empresa, os funcionários dedicam ao trabalho o mesmo entusiasmo e a mesma energia que dirigem à diversão. Eles passam a gostar da sua atividade profissional da mesma forma como apreciam as atividades recreativas. E assim aprendem a vencer o Jogo do Trabalho.

AGRADECIMENTOS

Nenhuma grande obra é realizada apenas por seu autor. Assim como Platão transmitiu suas idéias a Aristóteles, os conceitos desenvolvidos neste livro estão baseados nos esforços, ao menos em parte, daqueles que nos precederam. Napoleon Hill, em *Pense e enriqueça*, foi o mentor de todos nós, e meu envolvimento com o Success Motivation Institute e seu presidente, Paul J. Meyer, serviu como trampolim para muitos dos conceitos apresentados aqui. Desde 1971, seus programas e fitas tiveram grande impacto na minha vida e nas minhas realizações. Neste livro, tentei identificar um material específico que extraí de diversas fontes e desejo expressar meu agradecimento aos pioneiros que tornaram possível a concretização deste projeto.

O texto foi – e continua a ser – verificado, modificado e melhorado por todos os membros da Game of Work, LLC. Por isso, agradeço aos nossos executivos e colaboradores por sua capacidade de dar asas a essas idéias e fazê-las voar.

CONHEÇA OUTROS TÍTULOS DA EDITORA SEXTANTE

Atendimento Nota 10

Performance Research Associates

Prestar um Atendimento Nota 10 é criar uma experiência inesquecível para o cliente. É suprir expectativas e satisfazer necessidades, descobrindo oportunidades de surpreender e cativar. E assim fazer com que ele volte sempre.

Com uma linguagem e ilustrações simples e bem-humoradas, *Atendimento Nota 10* aborda os mais importantes aspectos envolvidos em um serviço de alta qualidade. Nesse livro, você encontrará variadas estratégias, técnicas e dicas para prestar o melhor atendimento – pessoalmente, pela internet e pelo telefone.

O segredo de Luísa

Fernando Dolabela

Com mais de 150 mil exemplares vendidos, *O segredo de Luísa* se tornou referência quando o assunto é empreendedorismo. Adotado por universidades e MBA's em todo o Brasil, o que faz esse livro ser tão especial é o fato de tratar do assunto através de uma saborosa história com trama, conflitos, reviravoltas e personagens a quem nos apegamos e para quem torcemos.

Usando como fio condutor a trajetória de Luísa, uma jovem mineira entusiasmada com a idéia de abrir uma empresa para vender a deliciosa goiabada que sua tia produz, Fernando Dolabela ensina passo a passo tudo o que é preciso saber para ir do sonho ao mercado.

1001 maneiras de tomar a iniciativa no trabalho

Bob Nelson

Como todo profissional, você tem diariamente a oportunidade de arregaçar as mangas, usar seus talentos e se destacar por uma atuação brilhante. Quase sempre, isso é apenas uma questão de tomar a iniciativa – de entrar em ação antes que o seu supervisor lhe diga o que fazer e como.

Nesse livro, Bob Nelson apresenta centenas de exemplos de pessoas que conseguiram implementar mudanças extraordinárias em suas organizações a partir de idéias simples e foram reconhecidas por isso.

Prático e abrangente, esse livro apresenta exercícios e técnicas de administração, dicas de líderes, pesquisas e estudos de caso para motivar você a seguir nessa promissora direção.

Os seis chapéus do pensamento

Edward de Bono

O Método dos Seis Chapéus do Pensamento é uma ferramenta de análise de idéias que se consagrou em todo o mundo por usar ao máximo a experiência e a inteligência dos participantes de uma discussão. Simples e eficiente, ele permite empregar um estilo de interação construtiva, que simplifica o pensamento, enfocando o tema sob perspectivas específicas, com clareza e sem confrontos.

Seis chapéus simbólicos são usados – em sessões alternadas e por todos os presentes ao mesmo tempo – para definir o tipo de pensamento que será exercitado em dado momento.

Criada pelo Dr. De Bono na década de 1980, essa técnica vem sendo utilizada com sucesso tanto por corporações quanto por indivíduos, como empresários, gerentes, técnicos, profissionais liberais, e até no ensino escolar de crianças.

O caminho das estrelas

César Souza

No passado, as estrelas eram utilizadas para orientar os navegadores e mantê-los no rumo certo. Atualmente, como dispomos de instrumentos bem mais sofisticados, as estrelas passaram a desempenhar um novo papel: o de nos guiar na direção dos nossos sonhos.

Nesse livro, César Souza usa sua rica experiência empresarial e pessoal para nos apresentar o *Caminho das Estrelas:* aquele que devemos percorrer para realizar nossos sonhos e resgatar os planos que abandonamos em função das exigências da vida.

Você é o líder da sua vida?

César Souza

Inspirado por várias histórias reais de sucesso, o autor usa a fascinante jornada de um jovem profissional ao redor do mundo para nos transmitir uma nova forma de pensar sobre a liderança. Esse livro se destina não só a executivos e gerentes, mas a pais, médicos, vendedores, advogados, professores, estudantes – ou seja, a qualquer pessoa que deseja se tornar melhor naquilo que faz.

Além de obter valiosas informações sobre como crescer profissionalmente e se relacionar melhor com seus liderados, você aprenderá que a maior de todas as conquistas é tornar-se líder da sua própria vida, conhecendo seus limites e suas capacidades, direcionando seus esforços e sabendo exatamente aonde quer chegar. Assim você dará o primeiro passo para liderar os outros de forma mais eficaz.

Homens gostam de mulheres que gostam de si mesmas

Steven Carter e Julia Sokol

O que será que os homens procuram nas mulheres? Será que eles se sentem atraídos por aquelas que têm carreiras brilhantes? Ou estão mais interessados em sua beleza e suas habilidades culinárias? Na verdade, não é nada disso.

Os homens estão à procura de mulheres confiantes, que gostam delas mesmas e sabem expressar seus desejos.

Steven Carter e Julia Sokol, autores de *O que toda mulher inteligente deve saber* – com mais de 300 mil exemplares vendidos no Brasil –, apresentam nesse livro conselhos que vão ajudá-la a construir uma relação equilibrada e enriquecedora, respeitando sua individualidade e a de seu parceiro.

A grandeza de cada dia

Stephen R. Covey

Autor de *Os 7 hábitos das pessoas altamente eficazes*, Stephen R. Covey é conhecido internacionalmente por mostrar um caminho de sucesso e felicidade norteado por princípios e valores.

Essa coletânea traz histórias de pessoas comuns que aplicam diariamente o que Covey chama de *a grandeza de cada dia:* pequenos gestos de bondade, solidariedade e generosidade capazes de mudar nossas vidas.

Abordando temas como coragem, caridade, superação, integridade, respeito e colaboração, *A grandeza de cada dia* demonstra o poder transformador de nossas atitudes e escolhas.

Trabalhar com você está me matando

Katherine Crowley e Kathi Elster

Verdadeiro manual de sobrevivência no mundo corporativo, esse livro traz exemplos e dicas práticas para você não se deixar afetar pelos hábitos, comportamentos e explosões de fúria dos seus companheiros de trabalho, além de apresentar ótimas sugestões para quem já foi envolvido por essa teia de negatividade.

Com base em 20 anos de pesquisas, Katherine Crowley e Kathi Elster apresentam vários testes para identificar as armadilhas emocionais de seu trabalho e sugerem um passo-a-passo para você se libertar das situações que o incomodam.

Com os ensinamentos que encontrará aqui, você vai mudar sua reação diante dos inevitáveis conflitos do dia-a-dia, aprender a defender seu espaço, descobrir as atitudes que impedem o seu sucesso e, principalmente, parar de se sentir inseguro, frustrado e ansioso toda vez que sair de casa para trabalhar.

Abrace seus clientes

Stephen R. Covey

Uma vez cliente, sempre amigo. Esse é o princípio básico da teoria do abraço de Jack Mitchell, um dos proprietários do grupo Mitchells/Richards, duas das mais bem-sucedidas e elegantes lojas de roupas dos Estados Unidos.

Nesse livro, ele mostra as vantagens de liderar uma empresa centrada nos clientes e como desenvolver a cultura do abraço, fazendo com que todos, do mensageiro ao presidente, se dediquem e se envolvam diretamente com eles.

Baseado na filosofia de vendas que a família Mitchell construiu ao longo de 45 anos, o autor reúne, em *Abrace seus clientes*, uma série de relatos que ilustram o poder do atendimento afetuoso e mostra como isso pode representar a diferença entre o sucesso e o fracasso.

CONHEÇA OS 30 CLÁSSICOS DA EDITORA SEXTANTE

O monge e o executivo, de James C. Hunter

Você é insubstituível, Dez leis para ser feliz, Pais brilhantes, professores fascinantes e *Nunca desista de seus sonhos,* de Augusto Cury

O Código Da Vinci e *Anjos e Demônios,* de Dan Brown

Jesus, o maior psicólogo que já existiu, de Mark W. Baker

Por que os homens fazem sexo e as mulheres fazem amor?, de Allan e Barbara Pease

O que toda mulher inteligente deve saber, de Steven Carter e Julia Sokol

Muitas vidas, muitos mestres, de Brian Weiss

Enquanto o amor não vem, de Iyanla Vanzant

Não leve a vida tão a sério, de Hugh Prather

A última grande lição e *As cinco pessoas que você encontra no céu,* de Mitch Albom

Um dia "daqueles" e *Querida mamãe, obrigado por tudo,* de Bradley Trevor Greive

Palavras de sabedoria, de Sua Santidade, o Dalai-Lama

A vida é bela, de Dominique Glocheux

1.000 lugares para conhecer antes de morrer, de Patrícia Schultz

Transformando suor em ouro, de Bernardinho

Os segredos da mente milionária, de T. Harv Eker

Mantenha o seu cérebro vivo, de Lawrence Katz e Manning Rubin

O Poder do Agora, de Eckhart Tolle

O poder da paciência, de M. J. Ryan

Aprendendo a gostar de si mesmo, de Louise Hay

A arte da meditação, de Daniel Goleman

A Boa Sorte, de Álex Rovira Celma e Fernando Trías de Bes

O ócio criativo, de Domenico De Masi

A Dieta do Abdômen, de David Zinczencko e Ted Spiker

INFORMAÇÕES SOBRE OS PRÓXIMOS LANÇAMENTOS

Para receber informações sobre os lançamentos da EDITORA SEXTANTE, basta enviar um e-mail para atendimento@esextante.com.br ou cadastrar-se diretamente no site www.sextante.com.br

Para saber mais sobre nossos títulos e autores, e enviar seus comentários sobre este livro, visite o nosso site: www.sextante.com.br

EDITORA SEXTANTE
Rua Voluntários da Pátria, 45 / 1.404 – Botafogo
Rio de Janeiro – RJ – 22270-000 – Brasil
Telefone: (21) 2286-9944 – Fax: (21) 2286-9244
E-mail: atendimento@esextante.com.br